D1429823

Jost Hermand
mit schönem Gruß
von D. Schuster

Febr 92

rowohlts monographien
begründet von Kurt Kusenberg
herausgegeben von
Wolfgang Müller

Otto Dix

**mit Selbstzeugnissen
und Bilddokumenten
dargestellt von
Dietrich Schubert**

Rowohlt

Alfred Hrdlicka gewidmet

Dieser Band wurde eigens für «rowohlts monographien» geschrieben
Den Anhang besorgte der Autor
Herausgeber: Wolfgang Müller
Umschlaggestaltung: Werner Rebhuhn
Vorderseite: Otto Dix (Foto Kabaus, Konstanz)
Rückseite: Aus Fritz Löffler, «Otto Dix, Leben und Werk»
VEB Verlag der Kunst, Dresden 1977

Veröffentlicht im Rowohlt Taschenbuch Verlag GmbH,
Reinbek bei Hamburg, August 1980
Copyright © 1980, 1991 by Rowohlt Taschenbuch Verlag GmbH,
Reinbek bei Hamburg
Alle Rechte an dieser Ausgabe vorbehalten
Satz Times (Linotronic 500)
Gesamtherstellung Clausen & Bosse, Leck
Printed in Germany
1080-ISBN 3 499 50287 9

3. Auflage. 17.–19. Tausend November 1991
Überarbeitete Auflage 1991

Inhalt

Vorbemerkungen   7
Gera und Dresden bis 1914
  Kunstgewerbeschule und Nietzsche   9
Erster Weltkrieg und Novemberrevolution   21
Dix in Dresden 1919   33
Düsseldorf Herbst 1922–1925   60
Dix in Berlin Herbst 1925–1927   87
Wieder in Dresden Sommer 1927 – April 1933   92
Randegg und Hemmenhofen ab Sommer 1933   110
Dix nach 1945 in Ost und West   122

Anmerkungen   137
Zeittafel   146
Zeugnisse   149
Bibliographie   152
Namenregister   156
Über den Autor   160
Quellennachweis der Abbildungen   160

Vorbemerkungen

Ich mußte das alles selber sehen. Ich bin so ein Realist, wissen Sie, daß ich alles mit eigenen Augen sehen muß, um das zu bestätigen, daß es so ist... Ich bin eben ein Wirklichkeitsmensch! ...Existenz! – Du mußt alles selber sein! Selber mußt du es sein! Sonst bist du ein Theoretiker, ein dummer Theoretiker... 1963

Otto Dix in Selbstzeugnissen und Bilddokumenten, das heißt: Dix in seinen Werken und nach Fotodokumenten. Denn im Gegensatz zu anderen Malern des 20. Jahrhunderts wie Klee, Beckmann oder Grosz hat Dix weder Bücher geschrieben noch Vorträge gehalten. Die bislang unveröffentlichten Briefe (im Dix-Nachlaß, Nürnberg GNM und verstreut in Privatbesitz) und das inzwischen publizierte sog. *Kriegstagebuch* 1915 bis 1918 (Städt. Galerie Albstadt) enthalten wenige reflektierende Ausführungen.

Dix war Maler, Zeichner und Graphiker. Seine Weltanschauungen, Erlebnisse, Ansichten und Reflexionen hat er beinahe ausschließlich visualisiert.

Trau deinen Augen war sein Wahlspruch; und dabei betonte er immer wieder, er wolle nur das malen, was er gesehen hat – ohne Tendenz oder Wertung. An Hans Kinkel schrieb er 1948: *Ich habe niemals Bekenntnisse schriftlich von mir gegeben, da ja... meine Bilder Bekenntnisse aufrichtigster Art sind, wie Sie sie selten in dieser Zeit finden werden. Ich bin auch durchaus nicht gewillt und auch nicht befähigt, über ästhetische oder philosophische Dinge zu reden... Wer Augen hat zum Sehen, der sehe!*, und zu Maria Wetzel sagte er 1965 in dem Interview, aus dem hier mehrfach zitiert werden wird: *Alles, was man malt, ist Selbstdarstellung.*[1] Aber in der Auswahl des Geschauten, in der Art des Sehens und in der Art, dieses wiederzugeben, liegt bereits eine individuelle Wertung, ein Vorzug, ein Interesse. Durch seine Entscheidung, eigene Kriegserlebnisse künstlerich darzustellen, statt schöne, harmlose Bilder zu malen, hat er sich Prioritäten gesetzt und dadurch eine klare Wertung vorgenommen. Auch war Dix von der Entlarvungs-Philosophie und -Psychologie Friedrich Nietzsches so stark beeinflußt, daß er allein deshalb niemals zu einem Maler des schönen Seins oder süßer Fiktionen wie die Nazarener hätte werden können – unabhängig von seinen Lehrern Richard Guhr, Max Feldbauer, Otto Gußmann und Heinrich Nauen.

Jede Zeit hat auf die Kunst von Dix anders reagiert: von krasser Ablehnung, geschmäcklerischem Naserümpfen, gerichtlicher Refusion über politische Verfolgung (1933–45) bis zu ideologischer Verwertung nach 1945 (in der DDR) und lächerlicher Ignoranz (in der BRD) reicht das Spektrum der Reaktionen. Ein Sammelband mit Beiträgen verschiedener Autoren von 1925 bis etwa 1975 könnte dies leicht zeigen.

Die Selbstzeugnisse sind also – neben Kernsätzen, Briefstellen und Interviews – seine Zeichnungen und Gemälde. Außer biographischen Fakten, die hier dargestellt werden, sollen in erster Linie Hauptwerke von Dix und deren Wirkung besprochen werden. Mündliche oder schriftliche Äußerungen sind nicht in großer Zahl, und schon gar nicht in systematisch biographischer Form wie bei Grosz erhalten. Auf einer Schallplatte sind einige Monologe zu hören[2]; Freunde wie Fritz Löffler haben den einen oder anderen Gedanken überliefert; Kritiker wie Hans Kinkel und Maria Wetzel haben Interviews mit Dix veröffentlicht.[3] Diether Schmidt trug umfangreiches Material zusammen. Neben den Selbstzeugnissen stehen die Selbstbildnisse als persönlichste Darstellungen im Zentrum des Interesses. Von den ersten Jahren künstlerischer Arbeit (1908–12) bis zu seinem Tod entstand eine Reihe von Selbstporträts, die Diether Schmidt gesammelt hat.[4] In der Vielfalt und Fülle seiner Selbstbildnisse steht Dix neben bedeutenden Selbstgestaltern wie Dürer, Vincent van Gogh und Max Beckmann. Besonders an den Porträts von Dürer und Cranach hat Dix seine eigene Kunst immer wieder gemessen.[5]

Diether Schmidts Buch ist inzwischen in der 2. Auflage erschienen. Und auch dieses Büchlein wird für eine Neuauflage überarbeitet und modernisiert. Dabei kann aus Platzgründen nicht jede Publikation seit 1980 erwähnt werden. Besonders die Forschung zur Nazizeit und ihrer Kunstpolitik ist von 1983 bis 1987 fruchtbar geworden: vgl. die Ausst.Kat. Hamburg 1983 «Verfolgt und Verführt», Duisburg 1983 «Verboten – Verfolgt» und den Band über München 1937, darin die Beiträge von Mario v. Lüttichau zur Rekonstruktion der «Entarteten»-Schau in München mit den Werken von Dix (s. S. 115f); ferner die Ausstellung «Degenerate Art», Los Angeles 1991.

Die Nationalgalerie Berlin und die Galerie der Stadt Stuttgart haben für den Winter 1991/92 zum 100. Geburtstag von Dix eine große Retrospektive vorbereitet; leider ist das bedeutende *Kriegs-Triptychon* von 1932 wieder nicht dabei, wodurch sie wieder nicht die Dix-Ausstellung ist, die man sich seit 1981 wünschte (Kunstwerk, 35, 1982, S. 70–71).

Wenn Dix in eine Stadt gehört, dann nach Dresden. Daß die Ausstellung von Stuttgart/Berlin nicht auch dort gezeigt wird, ist bedauerlich – zumal nach der deutschen Einheit.

Heidelberg, August 1991

Gera und Dresden bis 1914
Kunstgewerbeschule und Nietzsche

Am 2. Dezember 1891 wurde Dix als erstes Kind des Eisengießereiarbeiters Franz Dix (1862–1942) und seiner Frau Louise (1863–1953), geborene Amann, in Gera-Untermhaus, Mohrenplatz 4, geboren. «Untermhaus» an der weißen Elster ist ein Stadtteil der Residenzstadt Gera im winzigen Fürstentum Reuß (jüngere Linie). Da er unterhalb des Schlosses Osterstein lag, trug er den Namen «Unter dem Haus». Zentrum des dörflichen Stadtteils war die Elsterbrücke und die spätgotische Marienkirche. Das Dixsche Haus liegt unmittelbar neben der Kirche. Vater Dix arbeitete in der Geraer Schmelzhütte, die der Sohn später (1910) malte. Otto stammt somit aus dem Geraer Proletariat, dessen Kinder im allgemeinen keine sozialen Aufstiegschancen hatten. Drei weitere Geschwister folgten: Toni Dix, verheiratete Imblon (geb. 23. Oktober 1893) lebte in München bei ihrer Tochter Eva Kolberg, Fritz Dix (geb. 28. September 1895) und Hedwig (*Heddel*) Dix (geb. 18. Februar 1898), die später den Geraer Maler Alexander Wolfgang heiratete. Otto wuchs zwar in ärmlichem Milieu auf, konnte aber im Unterschied zu Kindern aus dem Stadt-Proletariat die dörfliche Umgebung, die thüringische Landschaft, die Hügel, Wald, Flußufer, Wiesen, Schloß und Kirche idyllisch vereint, erleben. Mit sechzehn Jahren hat er diese *Landschaft* in Pastell gemalt (das Schloß wurde im Zweiten Weltkrieg bis auf den Turm zerstört).

Gegen 1910 zog die Familie in den nördlich gelegenen Stadtteil Cuba (Uferstraße 4), in einen Häuserkomplex, der seit 1908 mit anderen Arbeiterfamilien erbaut worden war. In einem der frühen Ölbilder von 1908 hat Dix den Blick nach Cuba, durch die sogenannte Cuba-Brücke (auch Eisenbrücke) mit dem Stadtteil Gries verbunden, gemalt.

Die soziale und politische Situation, in der Dix aufwächst, wird bedingt durch die vor dem Ersten Weltkrieg herrschende Kleinstaaterei. Das Fürstentum Reuß wurde bis 1918 durch den feudalen «Souverän» auf Schloß Osterstein regiert. Erst im Mai 1920 wurde auch dieses Mini-Fürstentum im Land Thüringen zusammengefaßt, was zu einer sozialökonomischen Stabilisierung des Landes führte. Kulturlandschaftlich gesehen ist Dix Thüringer, nicht Sachse, wie gelegentlich geschrieben wird. Da seine mütterliche Familie jedoch aus Südwestdeutschland stammte, mischen sich bei Dix deren Anlagen mit den thüringischen des Vaters. Während Otto

Gera-Untermhaus, Mohrenplatz: Dix' Geburtshaus und Marienkirche

von diesem die Energie und die «stahlharten hellen Augen» (Löffler)
geerbt hatte, konnte ihm die Mutter Neigungen zu Kunst und Dichtung
vermitteln. Überdies war der Neffe der Mutter, Fritz Amann, Kunstmaler
in Naumburg; bei ihm lernte der junge Dix erstmals künstlerisches Hand-
werk kennen. Der Volksschullehrer Ernst Schunke in Gera bemerkte das
Zeichentalent des Schülers Dix, malte und zeichnete sonntags mit ihm in
der Geraer Umgebung (an der Elster, auf dem Hainberg, in Gera-Mil-
bitz) und sorgte fortan für dessen Werdegang, indem er beim Fürsten
Heinrich von Reuß um Förderung nachsuchte. Die Bedingung einer
handwerklichen Lehre erfüllte der Junge von 1905 bis 1909 bei einem
Dekorationsmaler.

*Malen konnte ich eigentlich ohne Vorbilder schon immer, aber natürlich
verdanke ich meinem alten Lehrer Schunke viel, das mich zur gestalteri-*

schen Freiheit führte. *Erst später, in der Kunstgewerbeschule, habe ich ganz freiwillig die Kamelslast des Drills auf mich geladen, nachdem ich dem sauren Zwang der Malerlehre bei Herrn Senff* (Carl Senff, Gera) *entronnen war. «Du wirst nie Maler, du bleibst ein Schmierer», war sein geflügeltes Urteil über mich.*[6]

Als Achtzehnjähriger geht Dix mit einem kleinen Stipendium des Fürsten Reuß nach Dresden, nachdem er ein halbes Jahr in Pößneck als Malergeselle gearbeitet hatte. An der königlich-sächsischen Akademie der Künste in Dresden studierte seit 1909 George Grosz bei Richard Müller und Robert Sterl. Es ist nicht mehr feststellbar, ob Dix den zwei Jahre

Gera-Untermhaus mit Schloß Osterstein. Pastell von Dix, 1907

Die Eltern Dix, um 1940

jüngeren Grosz schon 1909/10 in Dresden kennenlernte oder erst
später.

Die Lehrer von Dix an der Kunstgewerbeschule waren Richard Mebert, Paul Naumann, Carl Rade und – von besonderer Bedeutung – Richard Guhr, Bildhauer und Maler, der später gleichzeitig mit Dix die Lasurtechnik anwendete. An der Schule lehrte Guhr jedoch figürliches
Zeichnen nach Modellen und Abgüssen. Für den Rathausturm in Dresden hat er die stehende Figur (Goldener Mann) geschaffen, die heute
noch wie ein Wahrzeichen Dresden überragt. Dix fährt zwischen Gera
und Dresden hin und her und malt in der Umgebung beider Städte. Neben den frühesten Ölbildern (*Landschaft mit Elsterbrücke in Gera-Untermhaus, Schwester Toni am Fenster* [1908], beide Privatbesitz München)
kennen wir eine größere Zahl von Landschaften aus den Jahren 1910 bis
1912 (*Die Gießerei*, 1910; *Geologischer Aufschluß bei Milbitz; Lenné-
straße Dresden; Friedhof Gera-Untermhaus; Elbwiesen bei Antons; Ver-
schneiter Wald*, 1912), die den damals üblichen impressionistischen Stil
der deutschen Malerei im frühen 20. Jahrhundert zeigen. Eine Modifizie-
rung erfährt dieser Stil erst gegen Ende des Jahres 1912, als Otto Dix die
Kunst van Goghs kennenlernte. Das Jahr 1912 wird ein entscheidendes
Datum – für die europäische Kunst und auch für Dix. Es ist das Jahr der
Kölner Sonderbund-Ausstellung, das Jahr der grundlegenden Kontro-

verse zwischen Franz Marc und Max Beckmann um die Darstellung von Innerlichkeit oder Realität, Abstraktion oder Sachlichkeit – kaum daß Frank Kupka und Wassily Kandinsky mit abstrakter Malerei begonnen hatten. Und es kann als eine Art Nietzsche-Jahr bezeichnet werden. Seit 1911 habe er Nietzsche gelesen, sagt Dix im Rückblick; er ist also weder Marxist noch Anhänger Schopenhauers. Angeregt durch Richard Guhr, den er als seinen eigentlichen Lehrer empfand (Brief vom 4. August 1921), modelliert der junge Maler, und es entsteht 1912 die *Gipsbüste Friedrich Nietzsche* (ca. 60 cm h, ehem. dunkelgrün bemalt).[7] Das erstaunliche Werk nimmt innerhalb der Nietzsche-Bildnisse einen hohen Rang ein: Es ist ein vehement modelliertes Werk, das Max Klinger «belehren konnte, wie Zarathustras Übermensch erzeugt wurde» (schrieb Paul Ferdinand Schmidt 1923). Die Büste wurde von Schmidt für das Stadtmuseum Dresden erworben, dort unter anderem von Hugo Erfurth fotografiert; 1937 wurde sie als «entartet» entfernt und 1939 auf der Auktion der Galerie Fischer in Luzern, wo die Nazis konfiszierte Werke versteigern ließen, verkauft. Seither ist sie verschollen. Nietzsche war damals in aller Munde; er lag einfach in der Luft (Ernst Blass); kein Dichter oder bildender Künstler, der Einflüsse nicht in irgendeiner Weise direkt aufgenommen oder indirekt assimiliert hätte: Munch, Benn, Klee, Beckmann, Heinrich Mann, Wilhelm Lehmbruck, Oskar Schlemmer, Kurt Hiller, Franz Pfemfert, Barlach, Thomas Mann und viele andere. Die Bildnisse von Max Klinger (Bronze) und Hans Olde (Foto des sterbenden Philosophen und Radierung danach), von Curt Stöving und Edvard Munch, die Denkmal-Projekte von Max Kruse und Fritz Schumacher verbreiteten Nietzsches Bild. Das ehrgeizige Projekt eines Nietzsche-Denkmals plante gerade im Jahre 1912 Harry Graf Kessler (Direktor der herzoglichen Museen in Weimar) für Weimar mit dem Baumeister Henry van de Velde, den Bildhauern Klinger und Aristide Maillol. Kessler hat das Projekt in Briefen vom April 1911 an Hugo von Hofmannsthal geschildert; wegen des Kriegsausbruchs kam es nicht zur Ausführung.[8] Dix sagte 1965 im Rückblick über sein Verhältnis zu Nietzsche: *Schon 1911 habe ich Nietzsche gelesen und mich gründlich mit seinen Ansichten befaßt. Darum hat es mich auch so erbost, als die Nazis ihn für sich in Anspruch nahmen, – ihn mit ihrer totalitären Macht-Theorie völlig falsch verstanden, verstehen wollten.*[9] Wir wissen von seiner Frau und von Löffler, daß Dix vor allem die «Fröhliche Wissenschaft» las und als das Buch gepriesen hat, ferner den «Zarathustra» und «Menschliches-Allzumenschliches». In der Vorrede zur «Fröhlichen Wissenschaft» von 1886 steht: «Man kommt aus solchen langen gefährlichen Übungen der Herrschaft über sich als ein anderer Mensch heraus ... vor allem mit dem Willen, fürderhin mehr, tiefer, strenger, härter, böser, stiller zu fragen ... Das Vertrauen zum Leben ist dahin.» Diese Nietzsche-Sätze mögen Dix als «harten», «bösen» Maler mit seinem unerbittlichen Feststellungswillen

Friedrich Nietzsche.
Gipsbüste von
Otto Dix, 1912
(verschollen)

kennzeichnen. Aber vor allem war es der unmenschliche Krieg, der Dix das Vertrauen in die Kraft des traditionell «Guten» und «Schönen» am menschlichen Dasein nahm, der Krieg, der die Menschen zum *Vieh* machte, wie Dix es formulierte.

Während der Ausbildung an der Kunstgewerbeschule geht Dix eifrig in die Gemäldegalerie in Gottfried Sempers Bau am Zwinger, studiert die Altmeister-Werke in Lasurtechnik, besonders Cranach, Baldung Grien, Dürer, Jan van Eyck, Joos van Cleve und Rembrandt. Er malt 1912 das *Selbstbildnis mit Nelke* (Detroit, Institute of Arts), das einen gekonnt altmeisterlichen Stil der Sachlichkeit, nüchternen Präzision in der Realitätswiedergabe und eine auffallende Neigung zu Objektivität verrät.[10] Ebenfalls von betonter Sachlichkeit ist das *Selbstbildnis mit Hut* von 1912 (Privatbesitz Dresden), das Einflüsse der Werke der Alten mit solchen Hodlers vereint.

Sachlichkeit ist hier das Schlüsselwort. Denn diese betont und verlangt Max Beckmann vom Maler in seiner im «Pan» (Nr. 17, hg. von Paul Cassirer, März 1912) publizierten Kontroverse mit Franz Marc, der Subjektivität und Innerlichkeit («innerer Klang») über Objektivität und Sachlichkeit gestellt hatte (Subjektivität = Ich-Entgrenzung = abstrakte Kunst).[11] Schon 1909 hatte Alfred Döblin in einem Brief an Herwarth Walden Objektivität und Sachlichkeit über Subjektivität und Unklarheit gestellt. Döblin folgte hier zwar der Architekturtheorie von Adolf Loos (1908), übertrug das Prinzip der Sachlichkeit jedoch auch auf die Literatur. Er wird somit zum eigentlichen Begründer der Sachlichkeit als Strömung neben und nach dem Expressionismus. Beckmanns Wille zur Sachlichkeit artikuliert sich gleichzeitig mit Döblins Brief an den italienischen Futuristen Filippo Tommaso Marinetti (1912/13), in dem Döblin sein Prinzip «dreimal heilige Sachlichkeit» tauft und ausruft: «Dichter heran müssen wir an das Leben.»[12] Von Objektivitätswillen und radikaler Realität geprägt sind auch die 1912 erschienenen Gedichte «Die Morgue» von Gottfried Benn, denen Ernst Stadler «unheimliche Schärfe» und «unbeteiligte Sachlichkeit» attestierte.

Auch Dix sucht in seiner Kunst diesen Weg «dichter heran» an die Wirklichkeit. Gestalterisch folgen zwar manche Experimente mit kubistischen und futuristischen Formen, aber seit 1920 findet er zu einer Sachlichkeit, die den neuen Realismus der zwanziger Jahre begründet. Dabei wird sich Dix durch eine deformierend-verdichtende oder kritisch-karikierende Haltung ganz eklatant von den unkritischen Malern der «Neuen Sachlichkeit» absetzen, die ihr Motiv ohne Leidenschaft fast fotografisch getreu wiedergeben. Dieses Problem wird hier bereits kurz gestreift, weil ich glaube, daß Dix von Anfang an zum Realismus neigte. Die futuristischen und «dadaistischen» Werke zwischen 1915 und 1920 waren lediglich Durchgangsstationen, in denen Dix sich vergewisserte, daß sie im Grunde für seine Ausdrucksziele nicht tragfähig bleiben konnten, da sie Sackgassen der extremen Subjektivität (ohne Sachlichkeit) sind, daß sie «Musterkoffer» sind (wie René Schickele sich 1920 in einem Rückblick auf den Expressionismus ausdrückte).

Es fällt auch auf, daß Dix sich trotz kubo-futuristischer Elemente in den späteren Werken der Kriegsjahre stets näher an das Objekt hielt als etwa Boccioni, Marc oder Archipenko, das heißt intensiver an der Bewältigung des Themas arbeitete (*Leuchtkugeln,* 1917; *Das Grausen der Stadt,* 1918). Das trifft ebenfalls für die Themen mit deutlich grotesker Auffassung zu: *Suleika, das tätowierte Wunder, Matrose Fritz Müller, Der Lustmörder* von 1920. Schon vor dem Krieg beschäftigen den jungen Dix auch Themen der Geschlechterbeziehung, das Weib als «dämonische» Erscheinung, die Erotik und ihre Mystifizierung: *Erwartung, Geburt, Das göttliche Dreieck, Sphinx,* wilde nackte Tänzerinnen. In dieser Nähe zum Leben mit all seinen gebärenden und zerstörenden Kräften zeigt sich der frühe Einfluß des dionysischen Prinzips und des Vitalismus von Nietzsche, der im «Zarathustra» die Liebe zu Leben, Erde und Menschen ge-

Selbstbildnis mit Nelke. 1912 (Detroit, Institute of Arts)

priesen hatte – gegen alle Lebensverächter, gegen Christentum und Nihilisten. Der stärkere Mensch ist der schaffende Mensch, der alte Tafeln (Normen) zerbricht. Das ist die Botschaft, die Dix aufnimmt.

Auch die Landschaftsbilder aus der Umgebung von Gera und Dresden zeigen bereits einen lebensbejahenden, sachlichen Zug, indem sie Wolken, Licht und Land darstellen, statt in eine abstrakte Innerlichkeit von puren Farbklängen zu flüchten. Später wird zu der Sachlichkeit im Inhalt auch die der Formgebung kommen. Neben Landschaften, Selbstbildnissen und erotischen Themen fällt eine vierte Gruppe auf: die religiösen Motive, meist alte christliche Stoffe. Dix faßt diese jedoch nicht im Sinne einer kirchlichen Lehre, sondern als menschliche Grundsituationen auf. Um 1912/13 zeigt er in Zeichnungen oder Gemälden die *Verspottung Christi*, den *Heiligen Sebastian* (Dresden, Kabinett) und die *Pietà* (1912). Auch Künstler wie Willy Jaeckel, Beckmann und Albert Weisgerber greifen diese Themen in jenen Jahren auf. Wie beim frühen Beckmann ist Christus primär der neue Mensch als Prophet, also nicht eine Figur der kirchlichen Lehre, sondern ein Paradigma des Leidens, so wie Nietzsche Christus gedeutet hatte.

In dieser Zeit erreicht der Expressionismus – durch van Gogh und Munch inspiriert – bei anderen deutschen Künstlern einen Höhepunkt (wenn man drei Phasen, vor dem Krieg, im Krieg und ab 1918 unterscheiden will[13]).

Carl Einstein publiziert 1914 in der «Aktion» Franz Pfemferts die Abhandlung «Totalität»: «Über die spezifisch gesonderte Stellung hinaus bestimmt Kunst das Sehen überhaupt... Die Kunst verwandelt das Gesamtsehen, der Künstler bestimmt die allgemeinen Gesichtsvorstellungen... das einzelne Kunstwerk selber bedeutet einen spezifischen Erkenntnis- und Urteilsakt. Gegenstand der Kunst sind nicht Objekte, sondern das gestaltete Sehen. Es geht um das notwendige Sehen, nicht um die zufälligen Objekte. So dringt man zu den objektiven Elementen dessen, was apriorische Kunsterkenntnis ist, die sich im Urteil über Kunst nur a posteriori ausspielt.»[14]

Während Dix in den Jahren vor 1914 die Landschaften in lockerer Malweise – *alla prima* – malt, steht in den frühen Selbstporträts der strenge altmeisterliche Stil neben der modernen (spontan lockeren) Form, ein Beispiel für den Stilpluralismus bei einem suchenden Künstler. Dix sagte über den ersten Modus: *Die ganz frühen Porträts sind ja bereits in ganz strengem Stil gemalt. Wenn man so will – geschult an Cranach und der Frührenaissance.*[15] An diesen altmeisterlichen Stil knüpfte Dix 1919/20 bewußt wieder an, um seinen neuen Realismus und späteren Naturalismus zu entwickeln.

Im Herbst 1912 hat Dix ein Kunsterlebnis, das sowohl die Selbstbildnisse verändert als auch die locker gemalten Landschaften in ihrer Gestaltung nach Motiven (Sonne) und Farben (Gelb-Blau) intensiviert: Es ist die Van Gogh-Ausstellung in Dresden, die nicht – wie immer falsch geschrieben wird – 1913, sondern bereits im Herbst 1912 gezeigt wurde; die Galerie Ernst Arnold stellte insgesamt 41 Gemälde und Zeichnungen van Goghs aus.[16] Dix muß begeistert aus dieser Ausstellung gekommen sein: Spontan malt er noch Ende 1912 das *Selbstbildnis als Raucher* vor einer Wand mit seinen Bildern, signiert *Dix 12*. 1913 entsteht das ebenfalls

Selbstbildnis
als Raucher.
1912 (Privatsammlung)

unter van Goghs Wirkung, nun aber disziplinierter gemalte *Selbstporträt* (Stuttgart). In den Landschaften gibt es zahlreiche Beispiele für die Wirkung van Goghs, des Vaters der Expressionisten: *Straße mit Gaslaternen, Straßenlaternen, Winterlandschaft mit Sonne und Raben.* Die *Winterlandschaft* erwarb P. F. Schmidt für das Stadtmuseum Dresden, wo das Bild bis 1933 blieb; 1937 wurde es von den Nazis beschlagnahmt und in Luzern versteigert.

Van Goghs Gemälde waren natürlich vor 1912 zu sehen gewesen: in Paris 1901 bei Bernheim-Jeune, 1904 in Brüssel, 1905 in Amsterdam und in Dresden (Salon Arnold), 1907 in Mannheim, 1912 in Köln. Die Wirkung der Kunst van Goghs ist unübersehbar, breit und vielgestaltig.[17] Auch Dix' Freund Conrad Felixmüller berief sich auf ihn. Im Gegensatz zu den «Fauves» spielte für die deutschen Maler mehr als der Pinselstrich und die bloße Farbgebung eine Rolle: Für die Expressionisten war es die Gestaltung der Bilder u n d die Einheit von menschlichem und künstlerischem Vorbild, die Synthese aus tiefer prophetischer Liebe, aus sozialem Engagement und Gestaltung (Schaffen), aus Irratio und Ratio, die sie erregte. Felixmüller schrieb darüber 1919 in «Künstlerische Gestaltung»:

«Der Mensch von heute wachte auf prophetisch in van Gogh dem Unstet der Seele. Der Neuschöpfer der Erde, die er selbst war und fühlte in sich, in seinem Kopf, in seiner Seele: die war wie Landschaft, wie bewegter Baum, wie wogendes Feld; gewunden und schmerzvoll verzogen stöhnend wie das Antlitz mit der Faltenlandschaft (Dr. Gachet)...» Leider hat sich Dix nicht speziell über den Einfluß van Goghs geäußert, als er 1965 über seine *ersten Jahre* sprach.[18]

Diese Phase der Dixschen Kunst fällt in die Jahre 1913 und 1914, als das «Deutsche Reich» sich großmannssüchtig reckte, «gereift, gerüstet und entschlossen bei der neuen Teilung des Erd-Balles»[19]. Nietzsche aber, der allerorten und leider auch für diese Großmannssucht verfälscht und mißbraucht wurde, hatte schon 1873 in seiner «1. Unzeitgemäßen Betrachtung» den deutschen Sieg über Frankreich 1871 als «Exstirpation des deutschen Geistes zugunsten des Deutschen Reiches» bezeichnet und 1888 im «Ecce Homo» geschrieben von seiner «Verachtung gegen alles, was... ‹Reich›, ‹Bildung›, ‹Christentum›, ‹Bismarck›, ‹Erfolg› hieß... gegen den deutschen Charakter». Deutschland, Deutschland über alles sei das verhängnisvolle Prinzip. «Es gibt eine reichsdeutsche Geschichtsschreibung, es gibt, fürchte ich, selbst eine antisemitische, – es gibt eine Hof-Geschichtsschreibung und Herr von Treitschke schämt sich nicht... Alle großen Kulturverbrechen von vier Jahrhunderten haben sie [die Deutschen] auf dem Gewissen! ... diese kulturwidrigste Krankheit und Unvernunft, die es gibt, den Nationalismus... sie haben Europa selbst um seinen Sinn gebracht, um seine Vernunft –»

Während diese Nietzsche-Sätze von den Kreisen, die die offizielle Ideologie bestimmten, nicht gelesen wurden, lasen die Künstler Nietzsches Selbstdarstellung «Ecco Homo». Die Zeit um 1913 war beherrscht von der nationalistischen Hetze der Alldeutschen gegen Frankreich, die sich in protzigen Denkmälern (Völkerschlacht-Denkmal, Leipzig) und in den Feiern zum Jubiläum 1813–1913 dokumentierte. Die chauvinistischen Reden Wilhelms II. und die Interessen der Waffenfabrikanten förderten die Kolonialpolitik und den deutschen Nationalismus. Dazu kam der irrationale Haß auf die von Heinrich Heine und Nietzsche geliebte französische Kultur (Émile Zola sei antideutsch[20]) und ein massiver Antisemitismus, der auch die Projekte für Heine-Denkmäler systematisch verhinderte. Heinrich Mann beschrieb diese verhängnisvollen Auswüchse des Deutschtums in seinem Essay «Kaiserreich und Republik» (1919): «Das mechanistische Kaiserreich... schuf sich eine Ideologie des Bösen... seine Welt ward... nur von bedenkenloser Erwerbsgier gelenkt... ‹Ein ewig dauernd Herrenvolk› verlangten sie von euch, – und dies war schlechthin grauenvoll. Das hieß: Bekämpft alle anderen Völker, bis sie tot oder Sklaven sind... So kam der Krieg... Der Krieg kam durch den Untertan. Der Untertan verzichte doch darauf, die immer wiederholten Kriegsdrohungen seines mit ihm verschmolzenen Kaisers für

Boote am Elbufer. 1912/13 (Dresden, Galerie Neue Meister)

Verirrungen eines Einzelnen zu halten. Wilhelm II. hat jedesmal unge-
hemmt nur herausgesagt, was im Hintergrund jedes Bewußtseins war und
1913, bei der wüsten Hetze jener Jahrhundertfeste, nicht mehr im Hintergrund blieb: zuletzt sind wir die Sieger... Eine Kriegserklärung kann
vielleicht eine Flucht in die Offensive sein. Sie ist es nur dann keineswegs,
wenn der Geist des Landes der deutsche Geist von 1914 ist...[21] Gewaltan-
betung, noch dazu nachgeahmt: doppelte Unfreiheit. Was die Welt erblickte, war ein Herrenvolk aus Untertanen... Wir konnten der Mensch-
heit vorangehen; statt dessen hielten wir sie vierzig Jahre lang auf, bis sie
endlich in das Chaos zurückfiel... Drang einer durch? Dann war er mißverstanden... das Schicksal Nietzsches. Nietzsche hat, wie jedes große
Talent, einen Zeitgeist um mindestens zehn Jahre vorweggenommen...
aber hinter Borgia handelte Bismarck, und seinen philosophischen Willen zur Macht beflügelte das Deutsche Reich. Der Gegenstand seines
Machtwillens freilich war größer als diese: es war der Geist. Irdisch würde
er, wie Flaubert, die Herrschaft einer Akademie verlangt haben, anstatt
eines Klüngels von Waffenfabrikanten und Generalen. Moralfrei hieß für
ihn: wissend, nicht tierisch... über die aufgeopferten Geschlechter des
Reiches hinaus hat er, höchst ungerecht, Deutschland verworfen, von je
und für immer verworfen.»[22]

Erster Weltkrieg und Novemberrevolution

«Nur war der Krieg kein natürlicher Orkan.
Er war von Menschen veranstaltet.» (Döblin)

Im Juli/August 1914 bricht der Krieg aus. Was pures Machtinteresse der Monarchen und Generale war, wurde den Völkern geschickt als Bedrohung von außen dargestellt. Dix ist knapp 23 Jahre alt; er meldet sich als Freiwilliger, weil er alles unmittelbar erleben will – *deswegen mußte ich in den Krieg gehen*[23]. Er wird mit seinem Freund Kurt Lohse in Dresden eingezogen. Die allgemeine Begeisterung für einen total unterschätzten Krieg teilte zunächst auch Max Beckmann, der mit einer Art Faszination (die freilich bald umschlug in Entsetzen) in den Krieg zog und sagte: «Meine Kunst kriegt hier zu fressen» (Brief vom 18. April 1915). Alles rannte blind im Gefühl der Überlegenheit über Frankreich und Rußland in einen imperialistischen Krieg, dessen grauenhafte Ausmaße und Länge nicht abzusehen waren – die aber Friedrich Engels 1890 prophezeit hatte.

Die irregeleiteten Intellektuellen und die verworrenen Dichter jubelten und dichteten ihren Hurra-Patriotismus: Richard Dehmel, Ernst Jünger, Julius Bab, Thomas Mann und andere. Den Krieg mutig abgelehnt haben dagegen außer einigen Politikern wie Jean Jaurès (ermordet vor Ausbruch des Kriegs), Leo Jogiches, Rosa Luxemburg und Karl Liebknecht auch Heinrich Mann, Franz Pfemfert, René Schickele, Ludwig Rubiner, Leonhard Frank, Hedwig Dohm und andere. Erich Maria Remarque schrieb später in seinem Roman «Im Westen nichts Neues»: «Wir waren achtzehn Jahre und begannen die Welt und das Dasein zu lieben; wir mußten darauf schießen. Die erste Granate, die einschlug, traf in unser Herz...» Franz Pfemfert schrieb am 1. August 1914 in seiner «AKTION» den Artikel «Die Besessenen» gegen die nationalistische Mentalität des «Hurra!»; und er prophezeite: «Bald jedoch werden sie... vom allgemeinen Taumel besessen sein und besinnungslos morden und ermordet werden.»

Dix trug wie Beckmann und andere zwei Bücher bei sich: die Bibel und Nietzsches «Zarathustra», ferner dessen «Fröhliche Wissenschaft» (so Löffler und mit ihm Beck). Natürlich kannte er diese schon vor 1914.

Ab Ende August 1914 wird er bei Dresden und ab Februar 1915 in

Selbstbildnis als Mars. 1915 (Dresden, Neue Meister)

Bautzen für Feldartillerie (SFH 02) und für schweres MG ausgebildet. Da Dix keinen Militärdienst vor 1914 geleistet hatte, dauerte seine Ausbildung länger (ohne Dienstgrad). Von Februar bis September 1915 ist er in Bautzen beim Inf. Res. Reg. 102; dann rückt er als Gefreiter am 21.9.1915 mit dem MG-Zug 390 in die Westfrontkämpfe in die Champagne (vor Reims, Pont Faverger, Bétheniville). Sein Militärpaß (im Dix-Nachlaß Archiv GNM Nürnberg) notiert die Teilnahme an der Herbstschlacht in der Champagne vom 25.9.–3.11.1915. Dann bleibt Dix – seit

1.11.1915 zum Unteroffizier befördert – bis 1916 in der Champagne, liegt zum Teil auch an der Marne (bei St. Marie à Puy), bekommt am 12.11.1915 das E. K. 2. Klasse, schreibt im Dezember 1915 von Bétheniville (Feldpostkarten in Gera, Museum). An den Stellungskämpfen um die Marne und in der Champagne ist Dix als MG-Zugführer bis Juli 1916 beteiligt (vgl. Skizzen bei Thugny, Post/Skizzen aus Aubérive, Karte vom 4. Juni 1916 vom Fort de la Pombelle bei Reims).

Laut Militärpaß war Dix ab 25. Juli 1916 mit seinem Zug in der Sommer-Schlacht an der Somme. Das kleine Dienstbüchlein des Unteroffiziers notiert lapidar Daten und nennt diesen Krieg eine Art von *Naturereignis* (nicht «Naturerscheinung», wie Conzelmann und Beck lasen). Orte, bei denen er kämpft, sind Bapaume, Cléry-sur-Somme, Templeux-la-Fosse, Monacu-Ferme.

Etwa zehn Tage hatte Dix Ruhe, dann wurde er eingesetzt in die Stellungskämpfe im Artois (Gebiet um Arras) vom 23. 8. bis 23. 10. 1916, liegt teils an der Loretto-Höhe (südlich von Angres), wo ihn der Dresdner Kollege Otto Griebel trifft – beim Üben des Handgranatenwerfens! Er kämpft ferner bei Lens, hält sich zum Teil in Südflandern auf bei Pilkem, Langemarck, ist zum Urlaub in Knoeke.

Auch die nächste *Hölle* sollte Dix überstehen: Vom 24. 10. bis 6. 12. 1916 wird er mit seinem MG-Zug in die Herbstschlacht an der Somme gebracht. Während andere Künstler fielen – Macke, Weisgerber, Marc, Stadler – oder einen Kollaps erlitten, scheinen der Überlebenswille von Dix enorm und sein Glück groß gewesen zu sein. Mitte Dezember 1916 erkrankte er und hatte so eine Ruhepause. Der Militärpaß verzeichnet leider keine Daten für Frühjahr/Sommer 1917, aber Dix war in Nordfrankreich: Auf einer Karte zeichnete er sich am 20. 3. 1917 im Unterstand, den Kopf voll Kummer in die aufgestützte Hand gelegt – wie Dürer in seinem berühmten Selbstbildnis; diese Karte gab jedoch keine Ortsangabe.[24]

Durch Sommer und Herbst 1917 kämpft Dix wieder in Artois, unter anderem südlich von Arras/Bapaume. Immer wurde geschrieben, daß Dix zu den Fliegern ging; Tatsache ist, daß er sich im August 1917 zu einem Kurs für die Fliegerabwehr mit schwerem MG 08 nach Gent (Belgien) meldet. An einem zweiten Kursus zur Fliegerabwehr nimmt er vierzehn Tage im September 1918 in Tongern teil.

Nur aus Feldpostkarten an Helene Jakob vom 18./29. 11. 1917 und aus Skizzen aus Lagoerde/Wolhynien bzw. aus Gorodniki (bei Brest) können wir erschließen, daß Dix im November und Dezember 1917 in Rußland kämpfen mußte (vgl. U. Rüdiger 1991, S. 23). Februar und März 1918 ist er wieder an der Westfront, in Nordfrankreich und auch in Flandern – bei Langemarck (siehe Bl. 7 der *Krieg*-Mappe von 1924), dem berüchtigten Langemarck, wo im November 1914 Tausende junger Freiwilliger gestorben waren. Durch Krankheit hatte Dix eine längere Ruhepause (in Gera); der Militärpaß nennt 6. 2. bis 30. 3. 1918. Demnach wäre Dix erst ab

April 1918 wieder an der Westfront. Hier widersprechen sich die Daten des Militärpasses mit den Notizen von Dix auf den Probedrucken seiner Radierungen 1924. Man muß also die Daten kombinieren aus Skizzen, Postkarten (allein 46 im Museum zu Gera, andere in Privatbesitz, siehe Conzelmann), aus Angaben auf Zeichnungen und dem Militärpaß. – Nach Auszeichnung mit der Friedrich-August-Medaille im Mai 1917 – seine Führung war «Sehr gut» und «Keine Strafen»! – wird Dix am 8.10.1918 zum Vizefeldwebel befördert. Eine Verwundung am Hals durch Granatsplitter am 8.8.1918 bei Lestrem (westlich Lille) war nicht lebensgefährlich (genesen 12.9.1918). Also auch die furchtbaren Menschen-Schlachten sinnloser Opfer für letzte Entscheidungen bei St. Quentin (März 1918) und bei Arras (August 1918) gingen an Dix vorüber. Trotz der zunehmenden Kriegsmüdigkeit, der Streiks und des Pazifismus meldete sich Dix nach den Kursen für Fliegerabwehr noch im Oktober 1918 zur Ausbildung als Flieger von Gent nach Schneidemühl; am 6.11.1918 wird er von der Ers.Abt. 2 versetzt.

Erst der Ausbruch der Revolution beendete dieses imperialistische Morden an der Westfront. Dix wird am 12.12. nach Gera entlassen. Ein erstaunliches Kriegsitinerar! – Wie kaum ein anderer Künstler erlebte Dix den Krieg derart lange und als MG-Truppführer derart intensiv. Man denkt an seinen späteren Freund, den Bildhauer C. Voll, der auch von 1915 bis 1918 als MG-Schütze unverletzt überlebte. Daß Dix zuletzt Flieger werden wollte, kann different gedeutet werden: Wollte er in quasi ‹dionysischer› Erlebnissucht auch das noch erleben? Oder war vielmehr das Fliegen nach der Schlacht bei Arras (wo ca. 80000 deutsche Männer starben) die einzige Chance, dem irgendwann doch kommenden Tod im Granatfeuer zu entgehen? Dix mußte trotz seines harten Überlebenswillens nach jahrelangem Töten, dem erlebten Grauen und dem Erleben des Menschen im Krieg als einem Vieh (wie er einmal später sagte) n i c h t mehr den Willen zu weiterem Grabenkampf gehabt haben. Doch in gewisser Weise überwog in Dix ein ‹dionysischer› Vitalismus und Nietzsches Bejahung des Willens gegenüber politischer Analyse und Aufklärung, aus denen eine pazifistische Haltung resultieren könnte.

Erste Zeichnungen und Ölbilder, die den Krieg reflektieren, entstanden vor dem Kriegseinsatz während der Ausbildung: das sogenannte Selbstbildnis als Soldat 1914 (Stuttgart), das Bild *Das Geschütz* (Düsseldorf) mit dem Ortsnamen ‹Spandau› 1914. Der *Sterbende Krieger* (Dix-Stiftung Vaduz), dem ein Schwall Blutes aus dem Mund kommt, ist ein Vorgriff auf spätere Erlebnisse. Das bedeutende *Selbstbildnis als Mars* (Dresden)[25] entstand 1915 während der Ausbildung und nicht zur Zeit der Grabenkämpfe, es werden also noch keine eigenen Kriegserlebnisse künstlerisch verdichtet. Das muß berücksichtigt werden, um dieses symbolische, den Krieg identifikatorisch erlebende Gemälde zu verstehen. Stark pastos gemalt, bleibt die Farbskala in den Grundfarben Blau, Rot und Gelb. In der

Mitte der Komposition, die viele Motive futuristisch zusammenfaßt, steht
der Dixsche Kopf wie eine Zentrifuge – Dix, der Köpfe und blutende
Gesichter, Pferde, Bäume, Räder, Geschütze, zusammenstürzende Häuser, mit explodierenden Granaten, einen Totenkopf rechts oben und vier
tanzende Sterne durcheinanderwirbelt; Dix, der in simultane Ekstase von
Schaffung und Zerstörung stürzt, um Neues zu erschaffen. Expressionistische Lichtsymbolik mischt sich mit futuristischer Manie der Gleichzeitigkeit, wie sie Bilder der Italiener ~~Marinetti~~ und Boccioni kennzeichnet.
Das Selbstporträt ist ein «nietzschesches» Bild. Dix stellt sich in einem
«portrait historié» (historisch-allegorisches Bildnis) als Kriegsgott Mars
dar. Von Nietzsche kommt die Vorstellung des grausam dionysischen
Prinzips von Chaos, Zerstörung, Neuwerdung und die Idee des tanzenden Sterns. Zarathustra sprach, «man muß noch Chaos in sich haben, um
einen tanzenden Stern gebären zu können». Weniger dagegen durch
Nietzsche geprägt ist die egomane Identifikation mit dem Gott des
Krieges und dem Kriegschaos. Derjenige Dix, der durch die Hölle des
Grabenkampfs ging, wünscht sich vor Reims in einer Feldpostkarte Frieden. Den Grabenkrieg gesucht hat ein sensationslüsterner Dix; ihn ver-
lassen hat ein anderer Dix, vollkommen desillusioniert durch das *Tier*
Mensch.

Goya, Callot, noch früher Urs Graf, von ihnen habe ich mir Blätter in
Basel zeigen lassen – das ist großartig... wie sich die Materie Mensch auf
dämonische Weise verändert. – Der Krieg war eine scheußliche Sache, aber
trotzdem etwas Gewaltiges. Das durfte ich auf keinen Fall versäumen. Man
muß den Menschen in diesem entfesselten Zustand gesehen haben, um
etwas über den Menschen zu wissen... Der Krieg ist eben etwas so Viehmä-
ßiges: Hunger, Läuse, Schlamm, diese wahnsinnigen Geräusche...[26]

Ich habe jahrelang... immer diese Träume gehabt, in denen ich durch
zertrümmerte Häuser kriechen mußte, durch Gänge, durch die ich kaum
durchkam. Die Trümmer waren fortwährend in meinen Träumen...
Nicht daß das Malen für mich Befreiung gewesen wäre...[27]

Um alles miterleben, ganz authentisch erleben zu können, *deswegen*
mußte ich in den Krieg gehen... unbedingt erleben. Ich mußte auch erle-
ben, wie neben mir einer plötzlich umfällt und weg ist und die Kugel trifft
ihn mitten. Das mußte ich alles ganz genau erleben. Das wollte ich. Also
bin ich doch gar kein Pazifist – oder? – vielleicht bin ich ein neugieriger
Mensch gewesen. Ich mußte das alles selber sehen. Ich bin so ein Realist,
wissen Sie, daß ich alles mit eigenen Augen sehen muß, um das zu bestäti-
gen, daß es so ist... Also ich bin eben ein Wirklichkeitsmensch. Alles muß
ich sehen. Alle Untiefen des Lebens muß ich selber erleben; deswegen gehe
ich in den Krieg, und deswegen habe ich mich auch freiwillig gemeldet.[28]

Neben den zahlreichen Zeichnungen in Kreide und Blei entstehen etliche farbige Gouachen der Kriegserlebnisse, von zerschossenen Häusern,
von Granattrichtern (ein besonders gutes Blatt im Kabinett zu Dresden):

drale leuchtet herüber... *Es wird feste gearbeitet in Reims. Aber wir werden wahrscheinlich gar nicht lange hier sein – dann geht's wieder in die Läuse-Schlampagne.* Und auf der gleichen Karte steht neben einer Skizze: *Das ist unser betonierter MG-Stand. Durch die Schlitze wird geschossen. Hoffen wir, daß bald Friede wird. Viele herzliche Grüße – Via samideano Dix.* Bei Aubérive liegt Dix Februar bis Mai 1916: *In den Trümmern von Aubérive* – voll elementarer Wucht sind Granattrichter innerhalb Dörfer. Alles in der Umgebung scheint der Dynamik dieser gewaltigen symmetrischen Trichter zu unterliegen. Es sind die Augenhöhlen der Erde... Auf Postkarten, deren Skizzen in Blei und Farbstift entworfen sind, lesen wir: *Eine Ablösung bei Mondschein: Das trippelt und trappelt, eine endlose Schlange, bewehrt bis an die Zähne – Um endlose Kurven herum, lautlos geht alles vor sich, denn dem Franzmann sitzen die Granaten locker. So trippelt's schweigsam – als die Israeliten durchs rote Meer zogen (das war wohl ungefähr dasselbe) gings wohl nicht so schweigsam her.* Ferner: *Das Bataillonswäldchen – Durch ein Kiefernwäldchen zieht sich der Graben. Wie Meerwogen schaukeln die Erdwälle, oben drauf schwimmt's* – zerfetzte Bäume, als wenn sie das Meer ausgespeit hätte und unter diesem allen leben die Tiere in Höhlen, die Ratten, Mäuse, Menschen, Läuse und Flöhe. Tief wühlt der Stahl in der Erde Eingeweide, aber die drunten sitzen fest. Nach der überstandenen Sommerschlacht an der Somme (bis 12.8.1916) schrieb Dix über das Furchtbare, das er bei Monacu-Ferme erlebte: *Unsere Stellung war rechts des Gehöfts Monacu. Unsere Kompanie war drei Wochen dort eingesetzt... Es war furchtbar! Die Stellung wurde so umgeackert (vom 28er Kaliber französ. Granaten), daß man keinen Graben mehr sah... Von der 6. Kompanie dieses Rgts blieben 9 Mann übrig... Jetzt sind wir weit hinter dieser Hölle in dem Ort Mauvais. Vielleicht erhalte ich nun bald mal Urlaub...* (Conzelmann 1983, S. 146)

Trotz aller bitteren Erfahrungen, die Dix als MG-Schütze machte, wurde er k e i n Pazifist im Sinne der sich schon seit 1916 verstärkenden Kriegsablehnung, die in den Zeitschriften «Das Forum» (hg. von Wilhelm Herzog), «Die Weißen Blätter» (von René Schickele), «Die Aktion» (von Franz Pfemfert) publiziert und von Persönlichkeiten wie Ludwig Quidde, Theodor Lessing, Gustav Landauer, Ernst Toller und Rosa Luxemburg, Franz Mehring und Karl Liebknecht artikuliert wurde. Wie jeder Soldat sehnte sich Dix nach Frieden, aber aktiv arbeitete er nicht gegen den Krieg. Noch nach der Schlacht bei Arras (August 1918) meldete er sich zur Ausbildung als Fliegeranwärter. Oder sah er darin eine Möglichkeit, dem drohenden Tod zu entgehen?

Im Herbst 1917 zeichnete Dix – der sonst nur real Erlebtes spontan festhielt – eine Vision in zwei Varianten, die die Hoffnung auf Friede belegt (siehe Postkarte 4.6.1916 am Fort de la Pombelle). Conzelmann sah 1983 nicht, daß es zwei Blätter zu dieser Vision gibt, und in seinem polemischen Eifer verwechselte er seine 119 (re. unten sign. und 17 da-

April 1918 wieder an der Westfront. Hier widersprechen sich die Daten des Militärpasses mit den Notizen von Dix auf den Probedrucken seiner Radierungen 1924. Man muß also die Daten kombinieren aus Skizzen, Postkarten (allein 46 im Museum zu Gera, andere in Privatbesitz, siehe Conzelmann), aus Angaben auf Zeichnungen und dem Militärpaß. – Nach Auszeichnung mit der Friedrich-August-Medaille im Mai 1917 – seine Führung war «Sehr gut» und «Keine Strafen»! – wird Dix am 8. 10. 1918 zum Vizefeldwebel befördert. Eine Verwundung am Hals durch Granatsplitter am 8. 8. 1918 bei Lestrem (westlich Lille) war nicht lebensgefährlich (genesen 12. 9. 1918). Also auch die furchtbaren Menschen-Schlachten sinnloser Opfer für letzte Entscheidungen bei St. Quentin (März 1918) und bei Arras (August 1918) gingen an Dix vorüber. Trotz der zunehmenden Kriegsmüdigkeit, der Streiks und des Pazifismus meldete sich Dix nach den Kursen für Fliegerabwehr noch im Oktober 1918 zur Ausbildung als Flieger von Gent nach Schneidemühl; am 6. 11. 1918 wird er von der Ers. Abt. 2 versetzt.

Erst der Ausbruch der Revolution beendete dieses imperialistische Morden an der Westfront. Dix wird am 12. 12. nach Gera entlassen. Ein erstaunliches Kriegsitinerar! – Wie kaum ein anderer Künstler erlebte Dix den Krieg derart lange und als MG-Truppführer derart intensiv. Man denkt an seinen späteren Freund, den Bildhauer C. Voll, der auch von 1915 bis 1918 als MG-Schütze unverletzt überlebte. Daß Dix zuletzt Flieger werden wollte, kann different gedeutet werden: Wollte er in quasi ‹dionysischer› Erlebnissucht auch das noch erleben? Oder war vielmehr das Fliegen nach der Schlacht bei Arras (wo ca. 80000 deutsche Männer starben) die einzige Chance, dem irgendwann doch kommenden Tod im Granatfeuer zu entgehen? Dix mußte trotz seines harten Überlebenswillens nach jahrelangem Töten, dem erlebten Grauen und dem Erleben des Menschen im Krieg als einem Vieh (wie er einmal später sagte) n i c h t mehr den Willen zu weiterem Grabenkampf gehabt haben. Doch in gewisser Weise überwog in Dix ein ‹dionysischer› Vitalismus und Nietzsches Bejahung des Willens gegenüber politischer Analyse und Aufklärung, aus denen eine pazifistische Haltung resultieren könnte.

Erste Zeichnungen und Ölbilder, die den Krieg reflektieren, entstanden vor dem Kriegseinsatz während der Ausbildung: das sogenannte Selbstbildnis als Soldat 1914 (Stuttgart), das Bild *Das Geschütz* (Düsseldorf) mit dem Ortsnamen ‹Spandau› 1914. Der *Sterbende Krieger* (Dix-Stiftung Vaduz), dem ein Schwall Blutes aus dem Mund kommt, ist ein Vorgriff auf spätere Erlebnisse. Das bedeutende *Selbstbildnis als Mars* (Dresden)[25] entstand 1915 während der Ausbildung und nicht zur Zeit der Grabenkämpfe, es werden also noch keine eigenen Kriegserlebnisse künstlerisch verdichtet. Das muß berücksichtigt werden, um dieses symbolische, den Krieg identifikatorisch erlebende Gemälde zu verstehen. Stark pastos gemalt, bleibt die Farbskala in den Grundfarben Blau, Rot und Gelb. In der

1.11.1915 zum Unteroffizier befördert – bis 1916 in der Champagne, liegt zum Teil auch an der Marne (bei St. Marie à Puy), bekommt am 12.11.1915 das E. K. 2. Klasse, schreibt im Dezember 1915 von Bétheniville (Feldpost-karten in Gera, Museum). An den Stellungskämpfen um die Marne und in der Champagne ist Dix als MG-Zugführer bis Juli 1916 beteiligt (vgl. Skiz-zen bei Thugny, Post/Skizzen aus Aubérive, Karte vom 4. Juni 1916 vom Fort de la Pombelle bei Reims).

Laut Militärpaß war Dix ab 25. Juli 1916 mit seinem Zug in der Sommer-Schlacht an der Somme. Das kleine Dienstbüchlein des Unteroffiziers no-tiert lapidar Daten und nennt diesen Krieg eine Art von *Naturereignis* (nicht «Naturerscheinung», wie Conzelmann und Beck lasen). Orte, bei denen er kämpft, sind Bapaume, Cléry-sur-Somme, Templeux-la-Fosse, Monacu-Ferme.

Etwa zehn Tage hatte Dix Ruhe, dann wurde er eingesetzt in die Stel-lungskämpfe im Artois (Gebiet um Arras) vom 23. 8. bis 23. 10. 1916, liegt teils an der Loretto-Höhe (südlich von Angres), wo ihn der Dresdner Kol-lege Otto Griebel trifft – beim Üben des Handgranatenwerfens! Er kämpft ferner bei Lens, hält sich zum Teil in Südflandern auf bei Pilkem, Lange-marck, ist zum Urlaub in Knoeke.

Auch die nächste *Hölle* sollte Dix überstehen: Vom 24. 10. bis 6. 12. 1916 wird er mit seinem MG-Zug in die Herbstschlacht an der Somme gebracht. Während andere Künstler fielen – Macke, Weisgerber, Marc, Stadler – oder einen Kollaps erlitten, scheinen der Überlebenswille von Dix enorm und sein Glück groß gewesen zu sein. Mitte Dezember 1916 erkrankte er und hatte so eine Ruhepause. Der Militärpaß verzeichnet leider keine Da-ten für Frühjahr/Sommer 1917, aber Dix war in Nordfrankreich: Auf einer Karte zeichnete er sich am 20. 3. 1917 im Unterstand, den Kopf voll Kum-mer in die aufgestützte Hand gelegt – wie Dürer in seinem berühmten Selbstbildnis; diese Karte gab jedoch keine Ortsangabe.[24]

Durch Sommer und Herbst 1917 kämpft Dix wieder in Artois, unter an-derem südlich von Arras/Bapaume. Immer wurde geschrieben, daß Dix zu den Fliegern ging; Tatsache ist, daß er sich im August 1917 zu einem Kurs für die Fliegerabwehr mit schwerem MG 08 nach Gent (Belgien) meldet. An einem zweiten Kursus zur Fliegerabwehr nimmt er vierzehn Tage im September 1918 in Tongern teil.

Nur aus Feldpostkarten an Helene Jakob vom 18./29. 11. 1917 und aus Skizzen aus Lagoerde/Wolhynien bzw. aus Gorodniki (bei Brest) können wir erschließen, daß Dix im November und Dezember 1917 in Rußland kämpfen mußte (vgl. U. Rüdiger 1991, S. 23). Februar und März 1918 ist er wieder an der Westfront, in Nordfrankreich und auch in Flandern – bei Langemarck (siehe Bl. 7 der *Krieg*-Mappe von 1924), dem berüchtigten Langemarck, wo im November 1914 Tausende junger Freiwilliger gestor-ben waren. Durch Krankheit hatte Dix eine längere Ruhepause (in Gera); der Militärpaß nennt 6. 2. bis 30. 3. 1918. Demnach wäre Dix erst ab

— Carrà

Mitte der Komposition, die viele Motive futuristisch zusammenfaßt, steht der Dixsche Kopf wie eine Zentrifuge – Dix, der Köpfe und blutende Gesichter, Pferde, Bäume, Räder, Geschütze, zusammenstürzende Häuser, mit explodierenden Granaten, einen Totenkopf rechts oben und vier tanzende Sterne durcheinanderwirbelt; Dix, der in simultane Ekstase von Schaffung und Zerstörung stürzt, um Neues zu erschaffen. Expressionistische Lichtsymbolik mischt sich mit futuristischer Manie der Gleichzeitigkeit, wie sie Bilder der Italiener Marinetti und Boccioni kennzeichnet. Das Selbstporträt ist ein «nietzschesches» Bild. Dix stellt sich in einem «portrait historié» (historisch-allegorisches Bildnis) als Kriegsgott Mars dar. Von Nietzsche kommt die Vorstellung des grausam dionysischen Prinzips von Chaos, Zerstörung, Neuwerdung und die Idee des tanzenden Sterns. Zarathustra sprach, «man muß noch Chaos in sich haben, um einen tanzenden Stern gebären zu können». Weniger dagegen durch Nietzsche geprägt ist die egomane Identifikation mit dem Gott des Krieges und dem Kriegschaos. Derjenige Dix, der durch die Hölle des Grabenkampfs ging, wünscht sich vor Reims in einer Feldpostkarte Frieden. Den Grabenkrieg gesucht hat ein sensationslüsterner Dix; ihn verlassen hat ein anderer Dix, vollkommen desillusioniert durch das *Tier* Mensch.

Goya, Callot, noch früher Urs Graf, von ihnen habe ich mir Blätter in Basel zeigen lassen – das ist großartig... wie sich die Materie Mensch auf dämonische Weise verändert. – Der Krieg war eine scheußliche Sache, aber trotzdem etwas Gewaltiges. Das durfte ich auf keinen Fall versäumen. Man muß den Menschen in diesem entfesselten Zustand gesehen haben, um etwas über den Menschen zu wissen... Der Krieg ist eben etwas so Viehmäßiges: Hunger, Läuse, Schlamm, diese wahnsinnigen Geräusche... [26]
Ich habe jahrelang... immer diese Träume gehabt, in denen ich durch zertrümmerte Häuser kriechen mußte, durch Gänge, durch die ich kaum durchkam. Die Trümmer waren fortwährend in meinen Träumen... Nicht daß das Malen für mich Befreiung gewesen wäre... [27]
Um alles miterleben, ganz authentisch erleben zu können, *deswegen mußte ich in den Krieg gehen... unbedingt erleben. Ich mußte auch erleben, wie neben mir einer plötzlich umfällt und weg ist und die Kugel trifft ihn mitten. Das mußte ich alles ganz genau erleben. Das wollte ich. Also bin ich doch gar kein Pazifist – oder? – vielleicht bin ich ein neugieriger Mensch gewesen. Ich mußte das alles selber sehen. Ich bin so ein Realist, wissen Sie, daß ich alles mit eigenen Augen sehen muß, um das zu bestätigen, daß es so ist... Also ich bin eben ein Wirklichkeitsmensch. Alles muß ich sehen. Alle Untiefen des Lebens muß ich selber erleben; deswegen gehe ich in den Krieg, und deswegen habe ich mich auch freiwillig gemeldet.* [28]
Neben den zahlreichen Zeichnungen in Kreide und Blei entstehen etliche farbige Gouachen der Kriegserlebnisse, von zerschossenen Häusern, von Granattrichtern (ein besonders gutes Blatt im Kabinett zu Dresden):

Kreuze und Granattrichter. 1917, Kreide
(Stuttgart, Graphische Sammlung der Staatsgalerie)

Angres 1917, *Souchez-Tal, Leichen im Drahtverhau, von Leuchtkugeln erhellt* 1917; ferner *Selbstbildnisse* in Gouache, alle in der radikalen Farbgebung des Brücke-Expressionismus.[29]

Erich Maria Remarque (1929) und Henri Barbusse (1918)[30], Arnold Zweig und Ludwig Renn («Der Krieg», 1924 geschrieben, 1928 erschienen) haben die Hölle des Stellungskriegs auf den französischen Schlachtfeldern beschrieben. Manche Darstellungen von Dix stehen den Texten von Barbusse besonders nahe wie «Dann blitzt es uns gerade gegenüber; dann hört man's donnern. Eine Granate! ... Jetzt platzt ein weiteres Geschoß. Ein anderes und noch ein anderes pflanzt in den Hügelkamm violette Flammenstämme hinein... Dann glitzert es wie platzende Sterne, und auf einmal flammt ein Wald von phosphoreszierenden Büschen auf dem Hügel...»[31]

Das jahrelange Granatfeuer an der Front dezimierte die deutschen und französischen Armeen auf sinnloseste Weise. Als Max Beckmann im Mai

1915 vor Ypern liegt, schreibt er an seine Frau: «Die Granaten der schweren englischen Geschütze begannen immer näher bei uns zu krepieren. Inmitten dieser zerrissenen Menschenreste stand ich nun, jeden Augenblick gewärtig, zu ihnen zu gehören.» [32] Es ist wie ein Wunder, daß Dix die Hölle des jahrelangen Grabenkriegs – als Maschinengewehrschütze – überlebt hat. Außer ihm dürfte es keinen genialen Künstler im Ersten Weltkrieg gegeben haben, der diese Hölle mehrere Jahre durchstehen mußte. Marc und Macke fielen, Ernst W. Lotz und Ernst Stadler, die Maler Weisgerber und Theo von Brockhusen kamen um. Beckmann war als Sanitäter nur kurz an der vordersten Front und erlitt dann einen Nervenzusammenbruch, der es ihm ersparte, weiterhin aktiv am Krieg teilzunehmen; Lehmbruck ging nach einer Sanitäterzeit Ende 1916 in die Schweiz.

Die Städtischen Museen Gera besitzen 46 Feldpostkarten (andere bei Conzelmann, 1983), die an die Eltern in Gera und an Helene Jakob in Dresden gerichtet sind, teilweise in Esperanto, teilweise in Deutsch geschrieben. Die meisten sind leider nicht datiert, manche enthalten nur Ortsangaben.[33] Die nachweisbaren Daten liegen zwischen Juni 1915 (Bautzen), November 1917 in Rußland und April 1918. Die genannten Stationen des Kriegsaufenthalts von Dix sind diesen Feldpostkarten entnommen. Hier Texte, die von besonderem Interesse sind: Am 4. Juni 1916 liegt Dix in der Nähe von Reims, vor dem Fort de la Pombelle: *Wir sitzen den ganzen Tag im Kampfgraben auf dem Schützenstand. Wir sind nun vier Tage hier, es ist tatsächlich wie in der Sommerfrische. Die Kathe-*

Foto vom Kriegsschauplatz Verdun, 1919

drale leuchtet herüber... Es wird feste gearbeitet in Reims. Aber wir wer-den wahrscheinlich gar nicht lange hier sein – dann geht's wieder in die Läuse-Schlampagne. Und auf der gleichen Karte steht neben einer Skizze: *Das ist unser betonierter MG-Stand. Durch die Schlitze wird ge-schossen. Hoffen wir, daß bald Friede wird. Viele herzliche Grüße – Via samideano Dix.* Bei Aubérive liegt Dix Februar bis Mai 1916: *In den Trümmern von Aubérive – voll elementarer Wucht sind Granattrichter in-nerhalb Dörfer. Alles in der Umgebung scheint der Dynamik dieser gewal-tigen symmetrischen Trichter zu unterliegen. Es sind die Augenhöhlen der Erde...* Auf Postkarten, deren Skizzen in Blei und Farbstift entworfen sind, lesen wir: *Eine Ablösung bei Mondschein: Das trippelt und trappelt, eine endlose Schlange, bewehrt bis an die Zähne – Um endlose Kurven herum, lautlos geht alles vor sich, denn dem Franzmann sitzen die Grana-ten locker. So trippelt's schweigsam – als die Israeliten durchs rote Meer zogen (das war wohl ungefähr dasselbe) gings wohl nicht so schweigsam her.* Ferner: *Das Bataillonswäldchen – Durch ein Kiefernwäldchen zieht sich der Graben. Wie Meerwogen schaukeln die Erdwälle, oben drauf schwimmt's – zerfetzte Bäume, als wenn sie das Meer ausgespeit hätte und unter diesem allen leben die Tiere in Höhlen, die Ratten, Mäuse, Men-schen, Läuse und Flöhe. Tief wühlt der Stahl in der Erde Eingeweide, aber die drunten sitzen fest.* Nach der überstandenen Sommerschlacht an der Somme (bis 12.8.1916) schrieb Dix über das Furchtbare, das er bei Mo-nacu-Ferme erlebte: *Unsere Stellung war rechts des Gehöfts Monacu. Un-sere Kompanie war drei Wochen dort eingesetzt... Es war furchtbar! Die Stellung wurde so umgeackert (vom 28er Kaliber französ. Granaten), daß man keinen Graben mehr sah... Von der 6. Kompanie dieses Rgts blieben 9 Mann übrig... Jetzt sind wir weit hinter dieser Hölle in dem Ort Mauvais. Vielleicht erhalte ich nun bald mal Urlaub...* (Conzelmann 1983, S. 146)

Trotz aller bitteren Erfahrungen, die Dix als MG-Schütze machte, wurde er kein Pazifist im Sinne der sich schon seit 1916 verstärkenden Kriegsablehnung, die in den Zeitschriften «Das Forum» (hg. von Wil-helm Herzog), «Die Weißen Blätter» (von René Schickele), «Die Aktion» (von Franz Pfemfert) publiziert und von Persönlichkeiten wie Ludwig Quidde, Theodor Lessing, Gustav Landauer, Ernst Toller und Rosa Luxemburg, Franz Mehring und Karl Liebknecht artikuliert wurde. Wie jeder Soldat sehnte sich Dix nach Frieden, aber aktiv arbeitete er nicht gegen den Krieg. Noch nach der Schlacht bei Arras (August 1918) meldete er sich zur Ausbildung als Fliegeranwärter. Oder sah er darin eine Möglichkeit, dem drohenden Tod zu entgehen?

Im Herbst 1917 zeichnete Dix – der sonst nur real Erlebtes spontan festhielt – eine Vision in zwei Varianten, die die Hoffnung auf Friede belegt (siehe Postkarte 4.6.1916 am Fort de la Pombelle). Conzelmann sah 1983 nicht, daß es zwei Blätter zu dieser Vision gibt, und in seinem polemischen Eifer verwechselte er seine 119 (re. unten sign. und 17 datiert) mit dem Blatt im Dresdner Kabinett, das ich behandelte; dieses ist rückseitig mit *Finale* bezeichnet. Menschen recken ihre Köpfe und Arme sehnsüchtig aus den Erdlöchern zu einer riesigen Sonne, die hinter quasi Wolkenvorhängen auf- oder unterzugehen scheint. Diese Vision ist apokalyptischer Art, kein Protokoll der Kriegshölle. Sie realisiert die Hoffnung auf Friede nach vier Kriegsjahren, denn die Nackten (Toten?) wenden sich wie Auferstehende zur Sonne als Erlöserin in Nietzsches Sinne.[34]

In «Das Feuer» schildert Barbusse eine andere Vision, die der französische Korporal Bertrand hat: «Einer hat dennoch sein Antlitz über den Krieg erhoben und es wird einst leuchten in der Schönheit und der Bedeutung seines Mutes... – Liebknecht! ... Die Zukunft! Das Werk der Zukunft wird darin bestehen, unsere Gegenwart auszuwischen und noch mehr, als man denkt, als etwas Niederträchtiges und Schändliches. Und doch war diese Gegenwart notwendig... Fluch dem Kriegsruhm, Fluch den Armeen, Fluch dem Soldatenhandwerk, das die Mäner abwechselnd zu blöden Opfern und zu verruchten Henkern macht.»[35]

Am 5. November 1918 bricht in Kiel der Matrosenaufstand aus; am 7. November kommt es in Bremen und Hamburg zur Revolution gegen Generale und den Kaiser, am 8. November in Leipzig, Köln, München, Frankfurt; am 9. November in Berlin, Dresden und Stuttgart. In Berlin rufen Scheidemann und Liebknecht am 9. November in gegenseitiger Konkurrenz die sozialdemokratische und die sozialistische Republik aus. Am 30. Dezember 1918 gründet die Spartakusgruppe um Liebknecht die KPD.

Das Schicksal der ersten deutschen Republik wird jedoch von dem ver-

Otto Dix, Mitte stehend, mit seiner Familie in Gera, 1917/18

Dix an der Front in Frankreich, 1916

räterischen Kompromiß zwischen Präsident Ebert und den Generalen des Hauptquartiers bestimmt; diese behalten faktisch eine zu große Macht. Dadurch wird die Rückkehr der Frontarmeen zum Verhängnis für die Demokratie.

Zwischen dem 5. und dem 12. Januar 1919 kommt es in Berlin zu den entscheidenden Kämpfen um das Polizeipräsidium – und zwar gegen den ausdrücklichen Rat von Rosa Luxemburg und Leo Jogiches, aber befürwortet von Liebknecht und dem Russen Karl Radek. Diese blutigen Kämpfe werden meist fälschlich als «Spartakusaufstand» bezeichnet. Der Haß der Offiziere und Soldaten führte schließlich zum planmäßigen Mord an Rosa Luxemburg und Liebknecht. Die gedungenen Mörder wurden zu zwei Jahren Gefängnis verurteilt. Die wahren Schuldigen, die Generale, befehligten weiter die Freikorps- und Reichswehrtruppen, die schon ein Jahr später zum großen Putsch ausholen sollten (Lüttwitz–Kapp-Putsch, März 1920).[36] Leo Jogiches, Mitglied der Spartakusgruppe und Freund von Rosa Luxemburg, recherchierte wochenlang die Details des Mordes an den KPD-Führern. Jogiches wurde im März 1919 erneut verhaftet und im Polizeipräsidium ermordet. Dies waren aber nicht die einzigen Terrormorde der Rechten. Das Standrecht war wieder eingeführt worden, und das gab den Offizieren das Recht, revolutionäre Arbeiter, Studenten und Soldaten zu erschießen. Dem Terror fiel unter anderem am 21. Februar in München Kurt Eisner, der Führer der Räte-Republik, zum Opfer (vom Mörder, dem jungen Grafen Arco-Valley, wurden danach Postkarten vertrieben!), ebenso Gustav Landauer (der nie eine Waffe angerührt hatte), der Kommunist Eugen Leviné, ferner Matthias Erzberger und Walther Rathenau. Der liberale Publizist Maximilian Harden entging nur knapp einem Attentat; auf George Grosz wurde geschossen.

Ernst Toller, einer der führenden Köpfe der Räte-Republik, der sich stets gegen Blutvergießen eingesetzt hatte, erhielt glücklicherweise einen Prozeß. Der Jurist Emil J. Gumbel (1891–1966) wurde zum Chronisten der politischen Terror-Justiz. Alfred Döblin hat die Ereignisse von Kriegsende bis zum Mord an den KPD-Führern in einer meisterhaften Synthese von Reportage und dichterischer Gestaltung in seinem Werk «November 1918» geschildert. Nach der Ermordung von Rosa Luxemburg und Karl Liebknecht kam es im Februar 1919 zu breiten Streikbewegungen, die die Stärke des Volkes zeigten, und ab 9. März zu revolutionären Kämpfen gegen die mit den Generalen des Kaisers paktierende

Selbstbildnis als Unteroffizier. 1917, Kreide (Berlin [Ost], Staatliches Museum)

SPD-Regierung. Man erkannte, daß die Ziele der Revolution verraten worden waren. Die Regierung Ebert beauftragte Gustav Noske («Einer muß der Bluthund sein!») mit radikalen Gegenmaßnahmen. Noske setzte die Reichswehrtruppen unter General Maercker gegen die revolutionären Soldaten und Arbeiter ein. Durch die Kämpfe und das angewendete Standrecht fielen den Truppen etwa 1200 Menschen zum Opfer. Grosz zeichnete danach den General, umgeben von Toten, für die Zeitschrift «Die Pleite» (Nr. 3, April 1919): «Prost Noske! Das Proletariat ist entwaffnet!»

Kurt Tucholsky nannte das Blatt «eines der stärksten politischen Pamphlete unserer Zeit» – «die brutalen Mordoffiziere und Nachfahren eines Ludendorff, die allesamt nicht ertragen können, in Zivil zu arbeiten und die vorziehen, in Uniform zu töten»[37].

Finale. 1917, Kreide (Dresden, Staatliche Kunstsammlungen)

Dix in Dresden 1919

Mit dem Ausbruch der Revolution ist auch für Dix der Krieg zu Ende. Er kommt zu seinen Eltern nach Gera zurück und geht Anfang 1919 nach Dresden, um an der Akademie der bildenden Künste endlich Maler zu werden. Während des Kriegs war es Dix möglich gewesen, sich in einer Ausstellung «Dresdner Künstler, die im Heeresdienste stehen» im Oktober 1916, Galerie Ernst Arnold, zu präsentieren. Mit elf Zeichnungen zeigte er, daß er alle modernen Stilmodi des Realismus, Futurismus und Kubismus beherrschte; Titel sind unter anderen *Friedhof St. Hilaire* (bei Aubérive), *Minenstollen, Pont Faverger, Straße Souplet-Aubérive.* Im Sommer 1919 wird er Schüler bei Max Feldbauer und beabsichtigt auch noch, bei dem berüchtigten «Mäuse-Müller» zu zeichnen. Robert Sterl «hatte das Rektorat inne, und der junge Kokoschka war soeben als Lehrer gewonnen worden. Dix war bescheiden genug und wollte noch einmal im Zeichensaal Richard Müllers mit dem Exerzieren beginnen. Doch der einsichtige Sterl fand, daß es dort für eine solche Begabung nichts mehr zu bestellen gab.» (Löffler)

Nach einem Semester wird Dix im Herbst 1919 Meisterschüler bei Otto Gußmann, von dem die Ausmalung der Treppenhaus-Kuppel im Rathaus zu Dresden stammt.

Was die dominierenden Spätimpressionisten wie Sterl oder Gußmann vorzuweisen hatten, konnte Dix 1919 längst. Zwischen 1915 und 1918 waren Dutzende von meisterhaften Zeichnungen und Gouachen entstanden, die die Werke seiner Lehrer übertrafen. Dix suchte Neues.

Neben Paris, München und Berlin war Dresden vor und um 1918 ein Zentrum der avantgardistischen Kunst und des Expressionismus; es war die Stadt der «Brücke»-Maler, der Begründer des Expressionismus in der Malerei. Ludwig Meidner lebte vor dem Krieg dort; Grosz besuchte die Akademie. Es gab die «expressionistische Arbeitsgemeinschaft» (Conrad Felixmüller, Felix Stiemer) und den Dresdner Verlag von 1917, die Galerie Ernst Arnold, die schon 1905 und 1912 Vincent van Gogh präsentiert hatte, und den Kunstsalon Emil Richter (mit Verlag), wo Felixmüller 1915 zum erstenmal ausstellt. Am 8. Oktober 1916 war Walter Hasenclevers Drama «Der Sohn» (1913 geschrieben, vor dem Krieg publiziert) uraufgeführt worden, ein für diese Umbruchzeit programmatisches

Plakat für die
«Gruppe 1919»
von Otto Dix

Werk, das die Auflehnung der Söhne gegen die unmenschliche Welt der
Väter thematisiert.

Im Hegner-Verlag in Dresden-Hellerau erschien 1916 das Buch von
Theodor Däubler über den Expressionismus, «Der neue Standpunkt».
Im selben Jahr entdeckte Däubler Grosz und stellte ihn in den «Weißen
Blättern» vor[38]; zur gleichen Zeit war er mit Wilhelm Lehmbruck be-
freundet, und 1920 erschien im «Kunstblatt» von Paul Westheim sein Artikel über Otto Dix. Ein Brief von Dix (20. Mai 1919) an Paul Westheim
teilt mit, daß Däubler ihn besucht habe.

Der Publizist Hugo Zehder gab ab 1918 die Zeitschrift «Neue Blätter
für Kunst und Dichtung» heraus, die sich «auch in den Dienst der Gruppe
1919 stellt» (Zehder). Außerdem edierte Heinar Schilling, dessen Vater

das Niederwald-Denkmal erbaut hatte, im Dresdner Verlag von 1917 die Zeitschrift «Menschen»; bis 1920 leitete der Lyriker Walter Rheiner die Redaktion, dann wurde er von Walter Hasenclever abgelöst. In beiden Organen schrieben Theodor Däubler, Iwan Goll, Walter Hasenclever und Eckart von Sydow, ferner Autoren wie Walter Rheiner, A. L. Dietrich («der Gotiker»), Alfred Günther, Oskar Walzel und der Kritiker Will Grohmann.

Dix lernt in Dresden Felixmüller, der nicht Soldat gewesen war, kennen und erhält durch ihn sofort wichtige Kontakte. Schon im Januar 1919 gründen die beiden die «Dresdner Sezession-Gruppe 1919» zusammen mit Lasar Segall, Otto Schubert, Wilhelm Heckrott, Hugo Zehder, Gela Forster, Constantin von Mitschke-Collande und P. A. Böckstiegel. Als auswärtiges Mitglied trat Oskar Kokoschka bei.

Das Statut der Gruppe datiert vom 29. Januar 1919.

«Hauptgrundsätze sind: Wahrheit–Brüderlichkeit–Kunst».[39]

Der Bildhauer Christoph Voll (der 1924 eine Gipsbüste von Dix schuf), der Plastiker Eugen Hoffmann (der Dix 1925 in Bronze porträtierte), Otto Lange, Bernhard Kretzschmar, Wilhelm Rudolph und Otto Griebel schlossen sich der «Gruppe 1919» an. Im März schreiben die Gründungsmitglieder: «Wir fanden uns nicht zufällig, sondern die bezwingende Erkenntnis des Wertes solchen Zusammenschlusses für die Entwicklung der Kunst in unserem Sinne erforderte unsere Vereinigung.»

Die Mitglieder der Gruppe zeichneten und malten sich gegenseitig: Dix zum Beispiel zeichnet Voll und Felixmüller und auf einem Blatt *Dr. Glaser und Bildhauer Voll*; Felixmüller porträtiert Dix bei der Arbeit (Berlin, Neue Nationalgalerie) und fertigt die Radierung «Dix zeichnet» an, die eine Werksgemeinschaftsarbeit ist: Das Bild im Bilde links hat Dix in die Platte geritzt. Dix malt die *Familie Felixmüller*; Felixmüller zeichnet vor allem immer wieder den Lyriker Walter Rheiner, der im Juni 1925 in Berlin Selbstmord beging.[40]

Die erste Ausstellung der «Gruppe 1919» fand im April 1919 statt («Dresdner Anzeiger/Nachrichten», 12.4./18.4.1919). Einen Besucher dürfte Dix wohl dort kennengelernt haben: den Fotografen Hugo Erfurth (1874–1948), der seit 1906 in Dresden sein eigenes Atelier hatte, selbst Kunstausstellungen machte und Kunst sammelte, teils im Tausch gegen Fotos. Seit 1919 studierte dessen Sohn Gottfried Erfurth Bildhauerei bei Carl Albiker und S. Werner (Denkmal der Märzgefallenen des Lüttwitz–Kapp-Putschs in Gera, Südfriedhof) an der Kunstakademie, so daß sich zwischen Dix und Erfurth auf verschiedene Weise Kontakte ergeben konnten. Hugo Erfurth wurde 1919 Mitbegründer der GDL (Gesellschaft Deutscher Lichtbildner). Spätestens seit 1920 haben sich Erfurth und Dix gegenseitig abgebildet, inspiriert und beeinflußt.

Das Jahr 1919 bezeichnet für Dix eine Phase höchster Produktivität und angespannter Aktivitäten. An seinen Malerfreund Kurt Günther

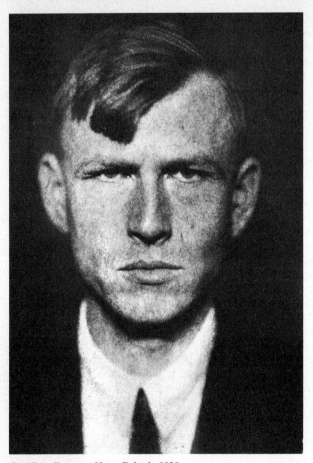

Otto Dix. Foto von Hugo Erfurth, 1920
(Sammlung D. Schubert)

(Gera) schreibt Dix im Februar: *Ich habe 2 größere Gemälde angefangen... Leda und Weib mit Fruchtschale. Die Ideen trage ich schon seit 5 Jahren... Wir, die radikalen Dresdner haben eine Sezession gegründet... Wir erhalten Ausstellungsräume bei Richter...* [41] Das Programm der Dresdner Zeitschrift «Menschen» ist signifikant für die im sozialistischen Expressionismus gesuchte Einheit von Schaffen und Leben: «Dem Materialismus... setzt sie, durch das von ihm angerichtete mehr als vierjährige Blutbad gestärkt und erhöht, in künstlerischer, politischer und praktischer Tat ihren prinzipiellen Idealismus entgegen, von dessen endlichem Sieg sie überzeugt ist. Dieser Idealismus... heißt Expressionismus. Also ist Expressionismus kein rein technisches oder Form-Problem, sondern vor allem eine geistige (erkenntnis-theoretische, metaphysische, ethische) Haltung... In der Politik heißt dieser Idealismus antinationaler Sozialismus.» Für die Rezeption Nietzsches in diesen Kreisen und damit auch für das Nietzsche-Verständnis bei Dix steht der Essay von Eckart von Sydow über «das religiöse Bewußtsein des Expressionismus». Sydow begreift die Mystik der neuen Zeit im Gegensatz zu der des Mittelalters: Die mittelalterliche Mystik habe sich vom Leben abgewandt, die neue wende sich dem Leben zu. Ihr Herold sei Nietzsches «aufpeitschende Dogmatik». Man habe ihn zu Unrecht den «Mörder Gottes» genannt, «sehr falsch – weil er in Wirklichkeit gar nicht das Göttliche Wesen in seiner Totalität tötete, sondern nur die eine seiner beiden Hälften niederschlug, um in die andere Hälfte alle Macht und Lebendigkeit hineinzupressen. Diese zweite, unendlich kräftige Hälfte der Göttlichkeit nannte er das ‹Leben›... den allmächtigen Überschwang der Lebendigkeit...»[42]

So lassen sich auch diejenigen Werke (nicht Kriegsdarstellungen) interpretieren, die Dix 1919 in rascher Folge schafft. Sowohl inhaltlich als auch formal zeigt er sich in ihnen als Expressionist, der die Formneuerungen des französischen Kubismus und des italienischen Futurismus beherrscht. Es entstehen einige Gemälde, die nicht die sichtbare Realität darstellen, sondern das Dasein zwischen Geburt, Eros, Sexualität und Tod thematisieren und die zugleich gestalterisch der Versuch sind, Denken, Fühlen, Handeln, Sich-Versprühen und Sich-Entgrenzen simultan im Bild durch ein zentrifugales oder zentripetales Rotieren der Formen anschaulich zu machen. Mit großer Aktivität malt Dix noch vor dem März 1919 *Leda mit dem Schwan* (Privatbesitz), dann das *Schwangere Weib* (Galerie Nierendorf), die *Auferstehung des Fleisches* (verschollen), den *Roten Kopf*, das *Selbstbildnis als Prometheus* (verschollen), *Sehnsucht* als Selbstdeutung (Dresden, Neue Meister), *Mädchen und Tod* und das aus der Sammlung Dr. Fritz Glaser stammende, wieder aufgetauchte *Mondweib* (s. R. März 1985).

In den «Neuen Blättern» schrieb Hugo Zehder über diesen Dix der Sezession 1919: «Natürlich fiel es ihm nicht ein, den Ruf zur Freiheit als einen neuen Befehl zum Marsch in Reih und Glied aufzufassen... Er ist ein Indianer, ein Sioux-Häuptling. Immer auf dem Kriegspfad. Wie eine Axt schwingt er den Pinsel, und jeder Hieb ist ein Farbenschrei.» Und in der gleichen Zeitschrift (1. Jg. März 1919) äußert der junge Kritiker Will Grohmann: «Otto Dix ist reiner Instinkt, allen Erwägungen feind... Von südlicher Fülle, ungebändigter Phantasie... Rausch des Lebens, tänzerische Besessenheit der Farben. Ihr könnt seine Bilder umdrehen – sie bestehen.» Bis in die Wortwahl hinein ist hier auch Nietzsche gegenwärtig: Der Rausch des Lebens und die tänzerische Besessenheit – als Formeln für die Werke von Dix – sind Nietzsches zentrale Kategorien des Vitalismus und der Lehre vom Dionysischen. Später wird sich aber der Einfluß Nietzsches vom Rauschhaften auf die Entlarvung der falschen «Schönheit» verlagern, auf die Härte dieser Entlarvung und auf die Umwälzung der Ästhetik.

Dix ist zwar Mitglied der «Gruppe 1919», schließt sich jedoch keiner eindeutigen Gruppierung, nicht der Berliner «Novembergruppe» und keiner politischen Partei an wie zum Beispiel Felixmüller, der der KPD beitrat.

Nein, ich schloß mich keinem politischen Programm an, ertrug wahrscheinlich diese Phrasen nicht... Ich wollte mich nicht einspannen lassen. Wir waren Nihilisten, waren gegen alles. Schon 1911 habe ich Nietzsche gelesen...[43]

Hierzu muß gesagt werden, daß Dix Nietzsche mißversteht, wenn er sich als *Nihilist* fühlt; denn Nietzsche hatte gerade alle Philosophen und Religionen wie die christliche, die Leben und Wirklichkeit verachteten, um ein «Höheres» oder ein «Jenseits» zu konstruieren, bitter bekämpft und als Nihilisten bezeichnet – eben weil sie lebensfeindlich sind. Nietzsches Herold war deshalb Heinrich Heine, der ihm auch in der Kritik des Christentums die Stichworte lieferte.

Im 3. und 5. Buch seiner «Fröhlichen Wissenschaft» hatte Nietzsche zum erstenmal «das größte neuere Ereignis – daß Gott tot ist, daß der Glaube an den christlichen Gott unglaubwürdig geworden ist», konstatiert («Wir Furchtlosen»). Nur in diesem Sinne ist Dix *Nihilist*. Er beginnt, Nietzsches «dionysischen Pessimismus» («Fröhliche Wissenschaft», 370) auf seine Weise zu verwirklichen, gleichsam unter dem Motto: «Nur als Schaffende können wir vernichten!»[44] Seit 1920 erhebt Dix das Häßliche als den wirklichen Schein der Dinge in die Kunst des Realismus und wendet sich damit gegen den «schönen» Schein.

Von den Statuten der «Novembergruppe» (16. Dezember 1918) und ihren Richtlinien (Januar 1919) verführt, die von Max Pechstein, Rudolf Belling, Richter-Berlin und G. Tappert getragen wurden, stellte Dix in den Jahren 1920 und 1921 mit ihr aus. Die zunehmende Kommerzialisierung der Gruppe veranlaßte Dix, Schlichter, Grosz, Hanna Höch, Georg Scholz, Raoul Hausmann und andere zu einem *Offenen Brief an die Novembergruppe*, den sie als *Opposition* verstanden.[45] Während andere aus der «Novembergruppe» austraten, stellte Dix nicht mehr mit ihr aus; eine Begründung seiner Entscheidung findet sich in diesem offenen Brief, der leider nur bruchstückhaft wiedergegeben werden kann: Die Ausstellungsleitung der Großen Berliner Kunstausstellung (mit der Abteilung «Novembergruppe») war gegen Bilder von Rudolf Schlichter und Dix vorgegangen; man «drohte mit dem Staatsanwalt, und auch die Gruppe... müsse sich beugen. Der Reichspräsident Ebert walzte bei der Eröffnung durch die Säle und gab der Zwecklosigkeit der Bemühungen

Mondweib. 1919, Ölgemälde (Berlin [Ost], National-Galerie)

Ausdruck... dieser Lakai des Ausbeutertums und Förderer der Ausnah-
megerichte... Wir fordern die Mitglieder, die begreifen, daß heute die
Kunst Protest gegen den bürgerlichen Schlafwandel und gegen die Ver-
ewigung der Ausbeutung und der Spießerindividualität ist, auf, sich unserer Opposition anzuschließen... Uns ist das Bekenntnis zur Revolution,
zur neuen Gemeinschaft kein Lippenbekenntnis, und so wollen wir mit
unserer erkannten Aufgabe Ernst machen: mitzuarbeiten am Aufbau der
neuen menschlichen Gemeinschaft, der Gemeinschaft der Werktätigen! –
Die Opposition der NG: Otto Dix, Max Dungert, George Grosz...»

*Aktzeichnungen. 1920
(Berlin, Galerie
Nierendorf)*

Da Dix als erster unterzeichnet, kann dieser offene Brief als eine Selbst-
aussage gewertet werden – auch wenn als Verfasser am ehesten Grosz in
Frage kommt. Erst 1929 zum zehnjährigen Jubiläum der «Novembergruppe» stellten Dix und Grosz wieder mit den Mitgliedern der Gruppe
aus.

Da ist doch auch eine Lust am Grotesken. (1965)

Nach dem Jahr der mystischen Bilder kann man das Jahr 1920 einschrän-
kend als das «DADA-Jahr» von Dix und als Jahr des Beginns der brutalen Desillusionierung bezeichnen. Dix nähert sich schrittweise der sozialen Realität. Hauptwerke sind: *Kriegskrüppel, Streichholzhändler I,
Prager Straße* und die *Skatspieler*, Werke, von denen Dix auch einige als
Radierung herausbringt. Diese Bilder bereiten trotz des grotesken Tenors

wegen ihrer unmittelbaren Darstellung von Kriegskrüppeln die veristische Auffassung vor. Sie bedeuten nach *Leda* und *Mondweib* die Hinwendung zur sozialen Lage der Kriegsheimkehrer. Doch wird hier – im Gegensatz zu 1924 – das Grauen durch das Grotesk-Komische gemildert bzw. kompensiert, das heißt noch nicht realisitisch gezeigt wie in *Zwei Opfer des Kapitalismus*. Dix zeichnet sich auch selbst in dadaistischer Egomanie und gleichsam als Übermensch *Ahoi! das ist Dix d. h. A + O zeit- und raumlos!* mit Feder und als Holzschnitt im Zyklus *Werden*.[46]

Im Juli 1920 war das Bild der *Kriegskrüppel* (*45 % Erwerbsfähig*) in der Berliner DADA-Messe in der Galerie Dr. Otto Burchard («Erste internationale DADA-Messe») und hing schräg gegenüber von Grosz' «Deutschland – ein Wintermärchen» (1917–19). Mit einer Foto-Postkarte aus Berlin vom 16. Juni 1920 luden Eva Grosz, George Grosz und John Heartfield den Kollegen Dix in Dresden zur DADA-Messe ein, die Juli/August stattfand. Ein altes Foto zeigt den Hauptraum der Messe: An der Decke hing ein deutscher Offizier aus Pappmaché mit einem Schweinskopf (Plastik von Rudolf Schlichter?) als Symbol des preußischen Militarismus, der Deutschland in das Chaos gestürzt hatte.[47]

Durch Grosz, Raoul Hausmann, John Heartfield und Schlichter, ferner durch den Dichter und Kunsthistoriker Carl Einstein, der 1923 über Dix eine Schrift verfaßte, bekam die Gruppe der Berliner Dadaisten im Gegensatz zu DADA in Zürich einen klaren politischen Zug: den Anti-Militarismus.

Die *Kriegskrüppel* waren nicht vom Stadtmuseum Dresden gekauft, sondern dem Direktor P. F. Schmidt geschenkt worden, und zwar dafür, daß sich Dix in der Textilfirma des Konsuls Hermann Mühlberg von oben bis unten elegant einkleiden durfte.

Die Technik und die «dadaistische» Komponente des bitteren Sarkasmus steigern sich in den *Skatspielern* (1920): Die Uniformen sind aus Stoff aufgeklebt, die im Hintergrund hängenden Zeitungen auch collagiert. Im Leinwandbild *Prager Straße* mit der Notiz *Meinen Zeitgenossen gewidmet* (Galerie der Stadt Stuttgart)[48], das einen alten und einen jungen Krüppel zeigt, sind die Rädchen des Wagens aus Silberpapier. Fotos, Papier, Haare und Fahrscheine in der oberen Partie der Schaufenster sind aufgeklebt; zwischen den hellen Prothesen im rechten Fenster hat Dix ein Foto seines Kopfs eingefügt. Ein Zeitungsausschnitt am Dackelmaul vorn links ist ebenfalls ein authentisches Stück Realität, das den Antisemitismus offenbart: «Juden raus» kann der Betrachter lesen.

Auf dem Gemälde *Streichholzhändler I* (1920, Staatsgalerie Stuttgart) schreibt Dix den Ausruf des alten Krüppels so, als ob der Wortlaut an der Hauswand geschrieben stünde; er klebt die Schildchen der Streichholzschachteln und ein Zeitungsstückchen im Rinnstein auf. Dieser Zeitungsausriß ist ein Teil des Appells von Oskar Kokoschka an die Kämpfenden während der Auseinandersetzungen am 15. März 1920. Der Lüttwitz–

Prager Straße. 1920: «Meinen Zeitgenossen gewidmet».
Leinwand, Öl-Collage (Stuttgart, Galerie der Stadt)

Kapp-Putsch führte auch in Dresden zu blutigen Kämpfen zwischen den Freikorps und den revolutionären Arbeitern und Streikenden, die die junge Republik verteidigten. Dabei wurde das Gemälde von Rubens «Bathseba am Brunnen» durch einen Einschuß beschädigt. Kokoschka, Professor an der Akademie, schrieb – «möglicherweise ironisch», wie Schneede einräumt [49] – in seinem Flugblatt «An alle Einwohner Dresdens», wer seine politischen Theorien mit dem Schießprügel austragen wolle, sollte dies auf den Schießplätzen der Heide tun und «nicht mehr vor der Gemäldegalerie des Zwingers». Dieses Flugblatt wird von Dix als Bruchstück in den Rinnstein geklebt – wohin es seiner Meinung nach gehört! Im übrigen löste es eine heftige Debatte aus, in der Heartfield und Grosz den Ausdruck «Der Kunstlump» für Kokoschka prägten; Gertrud Alexander erhob gegen beide Radikalen den Vorwurf des Vandalismus; Julian Gumperz und Franz W. Seiwert sprangen zur Verteidigung von Grosz und Heartfield ein. Deren wütende Polemik ging zu weit, denn in ihrem Eifer gegen Kokoschka und die bürgerliche Kultur wetterten sie gegen die Subjektivität des Künstlers. Indem sie den Isenheimer Altar des Matthias Grünewald und die Malerei Vincent van Goghs als «kirchlichen Zimt» und «heute erledigte individualistische Kunstquälereien» bezeichneten, führten sie sich ad absurdum.

Ebenfalls stark collagiert ist das Gemälde *Barrikade* (1920). Es war auf der Berliner Sezession 1921 ausgestellt; nach der Auslagerung im Zweiten Weltkrieg durch Fritz Bienert in Kisten (zusammen mit *Straßenkampf*, 1927 und *Mädchen am Spiegel*, 1921) in Reinholdshain wurde es 1949/50 gestohlen oder zerstört. Über einer Barrikade, die mehr aus Kulturgerümpel als aus Wehrobjekten wie Steinen und Zeitungsrollen besteht, kämpfen ein Matrose, ein Mann mit Stahlhelm (wie ihn die Freikorpsleute trugen) und ein alter Arbeiter. Die Gewehre sind auf zwei Leichen gestützt; die Szene ist die Marschallstraße in Dresden. Dix türmt auf der Barrikade heilige und unheilige Kulturgüter des Bürgers und des Spießers: das MG des Stahlhelmmannes, Gesangbuch, Bibel, ein zerbrochenes Kruzifix, die «Neue metaphysische Rundschau», Zeitschriften, Fotos, Klaviertasten und eine Spruchtafel für das traute Heim: «Wo Liebe, da Friede. Wo Friede, da Gott. Wo Gott – keine Not». Hinter dem Matrosen erkennt man einen Druck von Tizians Gemälde «Der Zinsgroschen» (Dresden, Galerie); ein Gipsmodell der antiken «Venus von Milo» liegt zwischen zwei Kämpfenden. Der Gefallene ganz oben auf der Barrikade hat einen Bauchschuß, den Dix als Loch in die Leinwand bohrte. Die Gegner sind nicht zu sehen. Löffler hat zu Recht auf das Groteske der Darstellung hingewiesen, auf den Mangel an klarer Parteilichkeit. Dagegen treten im *Straßenkampf* von 1927 (zerstört 1954) aufmarschierende Soldaten einem Haufen Kämpfender entgegen – wie in Goyas berühmten Erschießungsbild. Das Gemälde von 1920 bleibt ohne klare politische Aussage; Dix scheint weder die streikenden Arbeiter noch die Lüttwitz-Soldaten zu meinen. Interessant für die Rezeption des Werkes bleibt trotzdem, daß Gertrud Alexander 1921 in der «Roten Fahne» das Bild besprach und in der Häßlichkeit und Brutalität der Männer die «Noske-Gardisten» sehen wollte.

Auch für das Radierwerk V *Tod und Auferstehung*[50], 1922 in Dresden erschienen, stellt Dix als Blatt 3 eine Barrikadenszene dar, die keine politische Stellungnahme enthält. Das Groteske ist abgeschwächt; die reali-

Die Barrikade. 1922, Radierung

stischen Tendenzen, die seit 1920 zu dominieren beginnen, setzen sich durch. Aber durch seine Offenheit und Unbestimmtheit sichert sich das Blatt die Wirkung für spätere Zeiten.

Im übrigen steht Dix in diesen Jahren zwischen 1920 und 1922 graphisch und zeichnerisch der Kunst Max Beckmanns besonders nahe. Beckmann behandelt in seinen Graphikfolgen wie «Die Hölle» (1919) Themen, die auch Dix aufgreift, beide arbeiten in einer realistischen Weise, die versucht, das Allgemeine und das Besondere zugleich darzustellen. Dix bringt ein stärkeres Element der Karikatur bzw. des Grotesken in seine Darstellungen. Beiden zu eigen aber ist die Betonung des Elends, des Chaotischen, der Häßlichkeit des Menschen und seine Zerstörung im bewaffneten Kampf. Von Beckmann ist hier in erster Linie an Blätter wie «Hunger» (1919) und «Die Letzten» zu denken, auf denen ein Haufen Kämpfender vom Obergeschoß eines Gebäudes durch die Fenster auf die Straße schießt. Schwerverletzte (Krüppel) und Schießende sind expressionistisch verschachtelt in einem perspektivisch zertrümmerten Raum, der die Ausweglosigkeit ihrer Lage zeigt. Eine Vorzeichnung Beckmanns bringt die bei ihm so beliebten Lesehilfen in Form von Wor-

44

ten: «Wir sind... tot.» Dies deutet darauf, daß Beckmann mit den «Letzten» die verzweifelt kämpfenden Arbeiter und Spartakisten meint, die im Zeitungsviertel ihre Gebäude verteidigten.

Nicht erst mit den Kriegsbildern, sondern schon mit den zahlreichen Bildern und Aquarellen von häßlichen Zuhältern, Spießern, Prostituierten und Krüppeln steht Dix der Groszschen Aussage, der Mensch sei ein Vieh, näher als dem Glauben von Leonhard Frank «Der Mensch ist gut».[51] Grosz hat freilich weit häufiger den korrupten Spießer, den feisten Bourgeois, den Kriegsgewinnler und die reaktionären Offiziere gezeigt. Dix, nur inhaltlich Grosz vergleichbar, bewegt sich um 1920/21 zwischen Karikatur, Ausdruck der Realität, Satire, Fratzen und «dämonischer» Aura. Die bildgeschichtlichen Quellen liegen bei Goya («Caprichos») und in den spätmittelalterlichen Totentänzen, Todsünden- und Höllensturz-Bildern (wie sie Werner Hofmann für Grosz benannt hat).[52]

Außer den genannten Werken von 1920 entstehen Gemälde extremer Härte, Grausamkeit, Satire und Häßlichkeit: der *Lustmörder* (ein Selbstporträt?) und der *Fleischerladen*. Auch in seinen Zeichnungen und Graphiken kreist Dix 1919 bis 1921 um Themen der Kriminalität, der Bordelle, des Kabaretts, des Zirkus, des Lasters und der Folgen von Ausbeutung, Nachkrieg, Hunger und Antisozialismus. Derartige Motive rükken sein Schaffen thematisch in die Nähe von Beckmann («Die Hölle») und von Grosz. Grosz hatte bereits seit 1915/16 Fotos zur «Häßlichkeit der Deutschen» gesammelt und das elende Großstadtmilieu gezeichnet. Das Thema «Lustmord» taucht bei ihm schon 1916 auf. Dix stellt den *Lustmörder* 1920 in einem Gemälde und einer Radierung dar, ferner malt er mit Otto Griebel den *Mord in der Gartenlaube* als kleinbürgerliche Idylle des Schreckens. Auch das Bild *An die Schönheit* ist Zeugnis für das Interesse am Grotesken in den Erscheinungen der kapitalistischen Großstadt-Kultur: Kabarett, Zirkus, Jazz-Bands, Jahrmärkte, Schaubuden, Sensationen, Gewalt, Verbrechen und ähnliches. 1919 hatte Robert Wiene den Film «Das Kabinett des Dr. Caligari» gedreht, Hauptwerk des expressionistischen Films, in dem sich ein Psychiater, Chef einer Klinik, mit dem historischen Caligari identifiziert und nachts von einem Medium Morde ausführen läßt. Man spricht für ähnliche Themen dieser Zeit von «Caligarism». Manche Bilder von Dix gehören in diese Kategorie. Bereits mit realistischem Interesse, aber noch in expressionistischen Formen radiert er 1922 den Zyklus *Zirkus*. Verwandte Themen bearbeitet gleichzeitig Max Beckmann: Es zeigt sich hier ein Verismus, der dem von Dix nicht unähnlich ist. Beckmann stellt sich 1921 als Ausrufer dar – «Zirkus Beckmann» (Radierung im Zyklus «Jahrmarkt»); auch an sein Blatt «Nackttanz» von 1922 (Zyklus «Berliner Reise») ist zu erinnern. Seither werden Dix und Beckmann für die Jahre um 1920 häufig in einem Atemzug genannt, wenn von Sachlichkeit und Verismus die Rede ist. Doch dabei darf man die Unterschiede nicht vergessen: Dix ist brutaler in der Unmittelbarkeit der Entlarvung, Beckmann kunstvoller in der Umsetzung des Themas (geschlossenere Kompositionen), er bezieht die Brutalität der Wirklichkeit, die Dix meist als das Eigentliche darstellt, nur als einen Teilbereich mit ein (Lithos «Stadtnacht» von 1920).

Neben diesen Motiven setzt sich die schon unterschwellig vorhandene Tendenz zum Realismus durch (Zeichnungen von *Aktmodellen*). Dazu konnte Dix der extreme Naturalismus des berüchtigten Zeichners der Akademie, Richard Müller, positiv oder negativ anregen, das heißt, Dix sah dessen Genauigkeit und wußte zugleich, daß dies kein Realismus im Sinne von Typik, Verdichtung war, sondern der sadistisch-lustvollen Ambivalenz morbider Stoffe unterlag. Dix entschied sich für das Milieu der Armen, gegen morbide Phantastik, für eine neue Härte der Realitätsdarstellung: für das Wirkliche, das Häßliche und Grausame. Die weiblichen Akte, die Müller um 1920 zeichnete, unterscheiden sich von Dix' Arbeiten deutlich durch ihre Süßlichkeit, ihre klassizistische Neigung (Ingres) und durch das nazarenisch Harmonisierende. Dix aber wollte kein neuer Nazarener werden. Erste Beispiele seines Realismus sind das 1919 gemalte Bildnis des *Dichters Alfred Günther* (München, Neue Staatsgalerie) und die zahlreichen Zeichnungen, weibliche Akte ohne alle Beschönigung: *Anna I*, nackte *Stehende mit Strümpfen* (von 1919, Dresden, Kabinett), *Hertha*. Die Zeichnungen sind genau und geben die welke Schönheit der Frauen wieder. Das *Bildnis Alfred Günther* ist beinahe ohne Buntwerte in den Farben gemalt; die Komposition ist lapidar.

1919–20 fing ich an, ganz grau, ohne viel Farben zu malen, da es... dem, was ich sah – der grauen Straße, den grauen Menschen – am nächsten kam. Und es war auch gewissermaßen ein Widerspruch gegen die kolossale Farbigkeit der Expressionisten... Ich sagte mir: Es ist ja gar nicht bunt. Es ist alles viel düsterer, in den Tönen viel ruhiger, v i e l einfacher. Also kurz und gut: ich wollte die Dinge zeigen, wie sie wirklich sind.[53] Diese Aussage erinnert an das Selbstverständnis des Realisten Gustave Courbet um 1850 und an die Realismus-Definition, die Émile Zola in einem Brief von 1864 gab («L'Écran»).

Die realistische Neigung zeigte sich in der Darstellung solcher Themen wie *Kriegskrüppel*. Mit den Bildnissen und den Milieuschilderungen aus der sozialen Realität ist nun auch eine Gestaltungsweise verbunden, die dem Realismus-Interesse entspricht: naturgetreue Zeichnung, sachliche Wiedergabe des Raumes, Abmilderung der Buntfarben, also nicht die Deformation der Motive und die Versplitterung der Dinge in Prismenformen (Expressionismus, Kubismus) und nicht die Verfremdung durch Collage und Kombination mit Unwirklichem (DADA). Die Einheit von Inhalt und Form, die erst Stil ergibt, streng durchhaltend, entwickelt Dix neben Beckmann den R e a l i s m u s als erster. Als Bildhauer, Aquarellist und Graphiker ist ferner Voll (von Dix 1921 gezeichnet) zu nennen. Den sozialen Themen entspricht eine veristische Malweise, die auf wilde Farben und zertrümmerten Raum verzichtet, um die Dinge möglichst realitätsgetreu darzustellen, jedoch nicht fotografisch zufällig, sondern typisch verdichtet. Daß dies gegenüber dem Expressionismus, dessen «Tod» um 1920 von verschiedener Seite konstatiert wurde (Wilhelm Hausenstein, Iwan Goll, Edschmid, P. Hatvani und Schickele), etwas Neues war, wußte Dix. Er sagt 1965: *Es war eben damals, von den Themen meiner Bilder ganz abgesehen, etwas Neues, Ungwöhnliches, Besonderes, daß jemand realistisch zu malen begann, während alle Welt dem expressionistischen Stil huldigte... Aber zeitlich muß man den Beginn meiner entgegengesetzten Auffassung früher ansetzen – auf 1912, 1913. Die ganz frühen Porträts sind ja bereits in ganz strengem Stil gemalt... geschult an Cranach und an der Frührenaissance.* Und Dix meinte ferner, daß ihn die Technik der Prima-Malerei nicht befriedigen konnte und er den *strengen Stil* suchte, weil nur er die *Konzeption des Bildes* voraussetze.[54] Der expressiv-visionären Deformation, der auch Beckmann («Fastnacht», «Auferstehung») und Felixmüller um 1918 bis 1920 noch huldigten, setzt Dix die veristische Sachlichkeit entgegen. Das dialektische Verhältnis von Objekt–Subjekt, das jeder Kunst zugrunde liegt, wandelte sich damit: Der Subjektivität entspricht die fernsichtige Auflösung des Gegenstands (Vision, Ich-Entgrenzung), der Objektivität aber die nahsichtige Klarheit (Greifbarkeit), wie Ortega y Gasset es 1924 darlegte.[55]

Als Porträt aus dem Jahre 1920 ist das Doppelbildnis *Dix–Günther* erwähnenswert, das in gegenseitiger Ausführung mit dem Gera-Dresdner Freund Kurt Günther (1893–1955) entstand (heute Gera, Dix-Kabinett, Orangerie).[56] Fern aller «Deformation» und ohne grelle Farben sind die Figuren realistisch wiedergegeben.

Seiner Opposition zur «Novembergruppe» entsprechend, gestaltet Dix auch zunehmend das proletarische Milieu. Neben dem *Elternbild I* ist ein Hauptwerk, die *Schwangere Arbeiterfrau mit Kind* von 1921 (Dresden, Neue Meister), beinahe farblos gemalt. Reduktion der Farbe und sachliche Wiedergabe kennzeichnen auch die Gemälde von Arbeitern, das Hochformat eines *Arbeiterjungen* (1920, früher Mannheim, Kunsthalle), die *Bildnisse* von *Max John*, einem Drucker, den Felixmüller und Dix kannten.[57] In der Milieu-Mensch-Darstellung sind diese Werke verwandt mit denen von Schlichter, Voll, Kretzschmar und Kurt Günther («Kriegsjunge»). Dix bevorzugt schmutzig-gebrochene Grau-, Braun- und Ockertöne. Es sind die Gemälde, von denen er 1965 sagte *ganz grau, ohne viel Farben.* Dieses Prinzip beherrscht vor allem die *Schwangere Arbeiterfrau*, die in schwarzem Rock und grauem Hemd in einem grauen, feuchten Hinterhof steht; ihr Antlitz ist fahl und eingefallen; das Gesicht ihres Kindes ist weißlichgrau, deformiert von Hunger und Krankheit. Diese Frauendarstellung ist eine engagierte Anklage der Lage der Mütter in den Jahren der Inflation, Arbeitslosigkeit und des Hungers.

Auch Beckmann hat im Jahre 1922 das proletarische Milieu unver-

Schwangere Arbeiterfrau mit Kind. 1921 (Dresden, Galerie Neue Meister)

blümt dargestellt: Seine Zeichnung «Closet» (Mutter und Kind, Sammlung Franke, München) zeigt eine in äußerstem Elend hausende Arbei-
terfamilie, die in einer Klosettkammer zusammengedrängt dahinvege-
tiert. Das Blatt ist inhaltlich und kompositorisch dem Bild von Dix in
Dresden nahe verwandt, weicht jedoch darin ab, daß Beckmann (schon
um 1921 bis 1923) nicht den Detailfanatismus von Dix teilt, sondern sich

auf das Wesentliche konzentriert, die Dreidimensionalität der Dinge und die Flächigkeit des Grundes zu einer Synthese drängt. Dix gibt zwar auch in manchem Arbeiterbild und in Graphiken das Wesentliche, jedoch in den Haupt-Gemälden zeigt er die Dinge in einer magisch und frappant greifbar wirkenden Detailschärfe (Nahsicht!).

In der Verdichtung des Typischen durch übertriebene Wiedergabe und Übersteigerung weicht Dix entscheidend von der realistischen Fotografie ab. Andererseits sucht er nicht das Summarische und die Betonung der Flächenwerte wie Beckmann, sondern die schockierend greifbare Nähe des Objekts in maximaler Härte im suggerierten Raum. Dix distanziert auch nicht den Menschen im Bild vom Betrachter. Sein radikaler Feststel-

Arbeiterfrau mit Kind («Closet»). Zeichnung von Max Beckmann, 1922

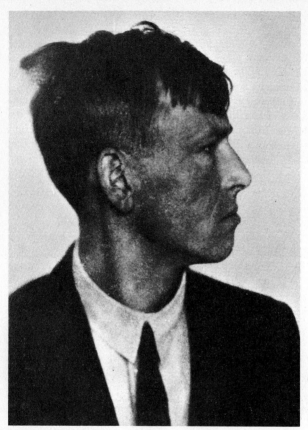

Otto Dix. Foto von Hugo Erfurth, 1920

lungswille, der sich hier manifestiert, drängt die Dargestellten dem er-
schrockenen Betrachter auf. Nahsichtig und streng plastisch sind die Di-
mensionen, in denen Dix den elenden Menschen 1921 zeigt. Expressionistische Relikte erkennt man zuweilen in der Schärfe der Linie.

Höhepunkt dieses realistischen Feststellungswillens ist auch das ge-
zeichnete Selbstbildnis *Toy im November 21* (Sammlung Martha Dix).
Mit großer Genauigkeit, in einem Stil, der dem des «Mäuse-Müllers» der
Akademie ähnelt, aber nicht dessen dekadenten Naturalismus teilt,
zeichnet sich Dix im scharfen Profil nach links, die Haare glatt gebürstet;
die Augenbrauen finster zusammengezogen, das anvisierte Objekt an-
starrend. Es ist der Dixsche Blick, der hinfort bleiben sollte. Bereits in

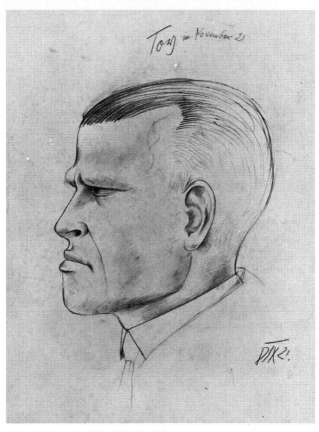

*«Toy im November 21». Bleistiftzeichnung
(Sammlung Martha Dix)*

einer Komposition vom 11. Mai 1921 ist dieses Selbstporträt vorgeformt
Selbst in der Großstadt. Von der Zeichnung *Toy* gibt Dix Versionen als
Lithographie und als Radierung heraus. Neben anderen Porträts wie
Mutzli Koch (Oktober 1921), der Frau des ebenfalls 1921 porträtierten
Dr. Hans Koch und späteren Frau Dix, dem *Doppelbildnis von 1920* in
Gera und der *Arbeiterfrau* ist diese Bleistiftzeichnung ein Beispiel für den
neuen Verismus.[58] Daß Dix jedoch über die Fotografie hinausgeht und
stärkere Verdichtung sucht, aber von der Fotografie und ihrer «Präzision» in der Dingwiedergabe beeinflußt wurde, belegt eine Fotografie
von Hugo Erfurth, die Dix im Profil nach rechts zeigt. Da ein Exemplar,
das Löffler 1977 abbildete, die Widmung *Für Maud Nov. 21* trägt, muß

51

Dix den Fotografen bereits vor diesem Zeitpunkt kennengelernt haben. Das Blatt von Dix *Selbst in der Großstadt*, das bereits mit der Foto-Sicht zusammenhängt, ist Mai 1921 datiert. Andere Fotos von Erfurth zeigen Dix mit gleicher Jacke, Krawatte und Frisur, zum Beispiel auch als Halb-profil nach links (mit der Widmung *meiner süßen Maud – Jim*). Da das strenge Foto en face stilgleich und 1920 datiert ist und Erfurth meist eine ganze Folge von Fotos machte, um die besten für seine Technik des Öl-pigmentdrucks auszuwählen, wäre das Jahr 1920 das früheste nachweis-bare Datum für den Kontakt zwischen Dix und Erfurth. Zudem kannte der Fotograf den Maler Felixmüller bereits früher, und zwar seit etwa 1918: Erfurth fotografierte ihn in diesem Jahr nach dessen Hochzeit mit Londa von Berg in mehreren halbfigurigen Sequenzen.[59]

Aufschlußreich für die Frage nach dem Stil von Dix, nach «Naturalis-mus» und «Realismus» und nach dem Verhältnis von Malerei zu Fotogra-fie und umgekehrt ist nun, was Dix aus der Fotografie machen wird. Er-furths Fotoserie von 1920 zeigt Dix gänzlich ungeschminkt, das heißt in seiner Härte, ja, beinahe brutalen Erscheinung, mit durchdringendem Blick.

Dix konzentriert seine *Selbstdarstellung* auf das Wesentliche, verzichtet gegenüber der Fotografie auf Details, erzeugt dennoch die Wirkung einer hohen Genauigkeit. Darin weicht er vom großflächigen Stil Beckmanns ab; er steht der Fotografie Erfurths nahe, ohne sie zu kopieren. Dies scheint mir das Wesen des Dixschen Stils um 1921 zu sein. Mit jenem harten Feststellungswillen, der das Objekt seiner Umwelt – geprägt durch den Krieg – völlig desillusioniert, erbarmungslos fixiert, wird Dix fortan die Realität sehen, um sie individuell formend, karikierend verändert und verdichtet zu gestalten – eben wie Dix sie sieht.

Jetzt beginnt auch die gerichtliche Verfolgung von Dix' Kunst. Im Som-mer 1921 stellt er in Berlin bei der Grobeka (Große Berliner Kunstaus-stellung) aus; dort wird sein *bestes Bild refusiert* (Brief vom 4. August 1921). In diesem Jahr malt Dix im Zuge seiner Neigung zur Zerstörung des bürgerlichen Schönheitsideals und des Liebe-Ideals mehr und mehr häßliche Spießertypen, Bordelle (*Salon I*) und Nutten. Es entsteht das Gemälde *Mädchen am Spiegel* (verschollen, zerstört?), das er auch als Radierung herausgibt. Willi Wolfradt sprach angesichts dieses Werks von einer «schneidend kalten, scheinwerfergrellen, nichts ersparenden Veristik». Dix gibt es 1922 auf die Juryfreie Ausstellung in Berlin; dort wird es beschlagnahmt und für unzüchtig erklärt, um einen Prozeß gegen Dix anstrengen zu können.[60] Im März–Juni 1923 kam es wegen angeb-licher Obszönität in Berlin vor der 8. Strafkammer des Landgerichts zum Prozeß. Sachverständige wurden die Maler Hermann Sandkuhl, Max Slevogt und Carl Hofer, die Kritiker Wolfradt, Max Osborn und Ernst Cohn-Wiener. Die «Vossische Zeitung» berichtet am 26. März 1923, daß mehrere Gemälde von Dix ins Gericht geschafft worden seien,

Mädchen am Spiegel. 1922, Radierung

um «den ernsten Charakter des Malers» unter Beweis zu stellen. Am 26. Juni 1923 wurde Dix, der bestritten hatte, «daß das Bild eine unzüchtige Darstellung sei», freigesprochen. (Text der Urteilsbegründung: «Aufgrund einer Augenscheinseinnahme und der beeidigten Aussagen der sachverständigen Zeugen Hofer... und Slevogt ist auch das Gericht zu der Auffassung gelangt, daß das inkriminierte Bild nicht als unzüchtige Darstellung im Sinne des § 184 StGB zu erachten sei.»)

In dem oben bereits zitierten Brief vom 4. August 1921 schrieb Dix noch: *... würde auch gern mal meine Arbeiten kollektiv zeigen, bis heute hat sich dies aber noch kein Kunsthändler getraut. Die Kerle haben keinen Mut. Refusiert werde ich ... allenthalben.*[61]

Tatsächlich folgte die nächste Beschlagnahme und Anzeige gegen Dix

1923 in Darmstadt, und zwar wegen des Bildes *Salon II* in der Ausstellung «Deutsche Kunst 1923». Die hessische Staatsanwaltschaft stellt jedoch das Verfahren «wegen Verbreitung unzüchtiger Darstellungen» im Oktober 1923 ein.

Noch in Dresden 1922 entsteht ein Bild, das Klingers berühmten Titel «An die Schönheit» zynisch travestiert; Dix fühlt sich als radikaler Demaskierer der traditionellen Schönheit: Das ist Entlarvung im Sinne Nietzsches. In der Zeichnung und im Gemälde steht er selbst als Bar-Chef mit dem Telefonhörer im Zentrum, fixiert den Zuschauer, während ein Paar tanzt und ein Neger Schlagzeug spielt. Die Szene ist ein Bordellraum. «Zertrümmerung des schönen Seins» (Conzelmann) und «Desillusionierung des Eros» (Löffler) ist das genannt worden, was Dix in den zahlreichen Bildern von Frauen, Prostituierten, Liebespaaren, Spießern und feisten Bourgeois zeigt. Extrem kraß sind seine beiden Gemälde *Venus des kapitalistischen Zeitalters* und das *Alte Liebespaar* (Berlin-Ost, Nationalgalerie) von 1923. In diesen Nachkriegsjahren ist und bleibt Dix ganz Anhänger Nietzsches: Er stellt das Äußere erbarmungslos bloß, er sucht nicht nach einer «ewigen Wahrheit» hinter der häßlichen Realität, nicht nach einem «inneren Klang», einem absoluten Prinzip, einer falschen Schönheit. Dix, der sich einen *Wirklichkeitsmenschen* nannte, stellt das Sichtbare im Sinne von Nietzsche dar: «Dazu tut not, tapfer bei der Oberfläche, der Falte, der Haut stehen zu bleiben, den Schein anzubeten, an Formen... an den ganzen Olymp des Scheins zu glauben!»[62] So wie es Nietzsche umschrieb, kommt Dix aus den Abgründen «neugeboren zurück». «O wie einem nunmehr der Genuß zuwider ist... wie ihn sonst... unsere ‹Gebildeten›, unsere Reichen und Regierenden verstehen! Wie boshaft wir nunmehr dem großen Jahrmarkts-Bumbum zuhören, mit dem sich der ‹gebildete Mensch› und Großstädter heute durch Kunst, Buch und Musik zu ‹geistigen Genüssen›... notzüchtigen läßt! Wie uns jetzt der Theater-Schrei der Leidenschaft in den Ohren weh tut, wie unserem Geschmacke der ganze romantische Aufruhr und Sinnen-Wirrwarr, den der gebildete Pöbel liebt, samt seinen Aspirationen nach dem Erhabenen, Gehobenen, Verschrobenen fremd geworden ist! Nein, wenn wir Genesenden überhaupt eine Kunst noch brauchen, so ist es eine andere Kunst – eine spöttische...» Diese von Dix wieder und wieder gelesene Passage aus der «Fröhlichen Wissenschaft» mutet wie ein Programm an, das der Maler seinem Schaffen in der Zeit des Bildes *An die Schönheit* zugrunde gelegt haben könnte. Gegenüber der Tradition entdeckt Dix die Ausdruckskraft des H ä ß l i c h e n wieder. *Ich habe vor den früheren Bildern das Gefühl gehabt, eine Seite der Wirklichkeit sei noch gar nicht dargestellt: das Häßliche,* sagte er 1961 zu Hans Kinkel. *Das Häßliche* war seit dem Klassizismus als Gegenstand der bildenden Kunst verpönt; noch heute stehen wir unter diesem Verdikt. Doch hatte d a s H ä ß l i c h e in seiner Kraft den Werken der spätgotischen Künstler um 1500 (Baldung

An die Schönheit. 1922 (Wuppertal, Museum)

Grien, Cranach, Grünewald) immanent zugehört. Affekte, höchster
Schmerz und Sterben waren dargestellt in den Vesper-Bildern (Pietà) des
14./15. Jahrhunderts, später in der weit vorausweisenden Kunst Goyas,
in Werken Rembrandts, in den Masken Sterbender bei Andreas Schlüter.
Die idealistische Auffassung des Schönen war zwar schon durch den Realismus von Courbet (und in der Literatur durch Émile Zola) überwunden,
aber für Dix wurde Nietzsche auch im Hinblick auf die Bewertung des
Häßlichen maßgebend. Denn die Art Schönheit, die Klassiker wie Raffael oder im frühen 19. Jahrhundert die Gruppe der «Nazarener» such-
ten, strebt Dix keinesfalls an. Er hätte Nietzsches Worte sagen können:

Bildnis Dr. Hans Koch. 1921 (Köln, Wallraf-Richartz-Museum)

«Natürlicher ist unsere Stellung zur Kunst: wir verlangen nicht von ihr die schönen Scheinlügen usw.; es herrscht der brutale Positivismus, welcher constatiert, ohne sich zu erregen.» Dieser Nietzsche-Satz kann zentral für das Kunstdenken von Dix stehen. Er enthält die Absage an das klassizistische Ideal des «Höchsten-Schönen» (Winckelmann, Goethe), die Entlarvung der damit verbundenen Scheinlügen und den Willen zur Konstatierung dessen, was ist! Denn die ideale Schönheit hatte keine Wirklichkeit, hatte zwar eine geistige Wahrheit, aber keine Realität – so wie es Goethe im Gespräch mit Eckermann (April 1827) im Hinblick auf die Landschaften von Rubens und Claude Lorrain sagte. Wenn Wirklichkeit und Wahrheit nicht identisch sind, entstehen in der Kunst Fiktionen.

Nietzsches Satz stammt (nach Montinari) aus dem Nachlaß 1887 (sog. «Wille zur Macht»), der sein Hauptwerk bilden sollte (?) – fraglich unter dem Titel «Umwertung aller Werte», 3. Buch: Die Selbstüberwindung des Nihilismus, Kap. 2 Das Problem der Modernität.[63]

Rückt man ein weiteres Begriffspaar Nietzsches, das Apollinische und das Dionysische, in den Blick, könnte Dix mit Bedacht ein «dionysischer» Künstler genannt werden, der den Urschmerz, das Tragische des Lebens angesichts des Todes und die Wirklichkeit im Entstehen und in ihrer Zerstörung nicht idealisiert, sondern unverändert gestaltet. Dazu Nietzsche: «Die Täuschung Apollos: die Ewigkeit der schönen Form; die aristokratische Gesetzgebung ‹so soll es immer sein›! Dionysos: Sinnlichkeit und Grausamkeit. Die Vergänglichkeit könnte ausgelegt werden als Genuß der zeugenden und zerstörenden Kraft, als beständige Schöpfung.»[64]

Dix konnte natürlich nur die Auswahl aus dem Nachlaß der achtziger Jahre kennen, die 1906 erschienen war und von der Schwester Nietzsches, Elisabeth Förster-Nietzsche, verfälscht worden ist. Aber er kannte gewiß Nietzsches Satz: «Wir haben die Kunst, damit wir nicht an der Wahrheit zugrunde gehen!» Die schöpferische Tätigkeit hat für den schaffenden Menschen nicht nur eine Funktion der Lebenssteigerung, sondern erfüllt zugleich die Funktion der Katharsis, der «Reinigung», der Erlösung von Schmerz und Tragik. Das kann wohl auch auf die Kriegsdarstellungen von Dix bezogen werden.

Was Dix aber wörtlich kannte, ist der Aphorismus 107 im 2. Buch der «Fröhlichen Wissenschaft»: «Unsere letzte Dankbarkeit gegen die Kunst: Hätten wir nicht die Kunst gutgeheißen ... so wäre die Einsicht in

Martha und Otto Dix. Foto von Hugo Erfurth, 1922

die allgemeine Unwahrheit und Verlogenheit... in den Wahn und Irrtum als in eine Bedingung des erkennenden und empfindenden Daseins – gar nicht auszuhalten. Die Redlichkeit würde den Ekel und den Selbstmord im Gefolge haben...» Im Aphorismus Nr. 370 «Was ist Romantik?» unterscheidet Nietzsche hinsichtlich der Entstehung von Kunst, «ob der Hunger oder der Überfluß schöpferisch geworden» ist, ob «das Verlangen nach Starrmachen... nach Sein die Ursache des Schaffens ist oder aber das Verlangen nach Zerstörung, nach Wechsel, nach Neuem, nach Zukunft, nach Werden ...» Dix legt seinem Schaffen nicht das «apollinische» Prinzip des Starrmachens, des Seins (also Vernunft) zugrunde, weil dies klassizistisch wäre, sondern vielmehr das Prinzip des Zerstörens, des Wechsels (Bewegung). Dies gilt natürlich primär für den Dix der

Neugeborenes Kind. 1923, Bleistiftzeichnung
(Berlin [Ost], Nationalgalerie)

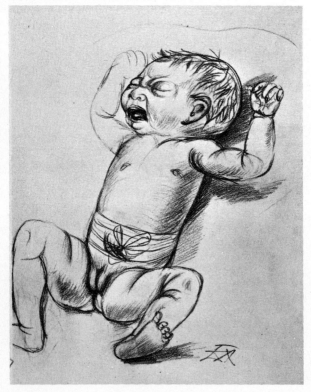

zwanziger Jahre, den «bösen» Dix. Der altmeisterliche Naturalismus, der später dominieren wird – ist er der Wechsel zum Prinzip des Starrmachens? –, oder zeigt sich in ihm einfach die Stärke des Vorbildes der Alten Meister?

In wenigen Farben, mehr Grautönen, malt Dix 1921 auch den *Urologen Dr. Hans Koch*, Facharzt in Düsseldorf (1881–1952 Randegg); das Bild entstand während einer Reise nach Köln und Düsseldorf, die auf die Vermittlung von Felixmüller zurückging. Dix besucht Hans und Martha Koch (geb. Lindner, am 19. Juli 1895), malt sein Bild in Öl und zeichnet die Frau mehrmals, da er zu ihr eine engere Beziehung fand: *für Mutzli Koch zur Erinnerung Okt. 1921 Dix*. Der Arzt interessierte sich für neueste Kunst und war Sammler. Sein Porträt ist eines der ersten spektakulären Bildnisse, die das Modell nicht nur nicht beschönigen, sondern häßlich wiedergeben, bloßstellen. Das Bild dokumentiert, daß die Einordnung von Dix zur «Neuen Sachlichkeit» falsch ist. Der Kontakt zu Hans Koch und die Beziehung zwischen dessen Frau und Dix waren es nicht, was Dix von Dresden weg nach Düsseldorf zog, vielmehr die Situation des Mäzenatentums im Rheinland und die Akademie. Die Widmungen Dix' auf der Zeichnung und dem Foto im Herbst 1921 belegen, daß Dix das Arztehepaar kurz zuvor kennengelernt hatte. 1922 arbeitet Dix noch in Dresden, Ende des Jahres zog er nach Düsseldorf. Das Ehepaar Koch ließ sich scheiden, und Martha Koch und Dix heirateten im Februar 1923. Im selben Jahr kommt Nelly Dix zur Welt.

Düsseldorf Herbst 1922–1925

Gegen Ende der Inflation war die Stadt Düsseldorf reicher als Dresden. In Köln und Düsseldorf gab es wohlhabende Geschäftsleute, durch die etliche Galerien angelockt wurden, und diese wiederum zogen die jungen Künstler an. Hinzu kam der gute Ruf der Akademie. Ferner führte Johanna Ey in Düsseldorf ihre Ladengalerie «Mutter Ey»; sie war Mäzenin der Maler des «Jungen Rheinland», die sich am Realismus orientierten. Dix lernte sie durch Vermittlung Felixmüllers auf seiner Rheinland-Reise im Herbst 1921 kennen. Johanna Ey lud ihn ein, nach Düsseldorf zu kommen und sich ein Atelier einzurichten.

Die Akademie nahm Dix als Meisterschüler in die Klasse von Heinrich Nauen auf. Dadurch erhielt er für drei Jahre ein eigenes Akademie-Atelier, so daß er nicht auf den von Johanna Ey organisierten Schuppen in Oberkassel angewiesen war.[65] Nachdem Dix Dresden, das Elbflorenz, zum Jahreswechsel verlassen hatte, bei Mutter Ey angekommen war und im Februar 1923 Martha Koch geheiratet hatte, fand er sich ohne Mühe in dem neuen Milieu zurecht. Neben Nauen war es der Akademie-Lehrer für Graphik, Wilhelm Herberholz, der für Dix wichtig wurde, weil er ihn in der Radiertechnik mit Aquatintaverfahren weiterbrachte; dies war die technische Grundlage für die Mappen zum *Krieg* (1924).

Dix kultivierte damals ein dekadentes Schönheitsgebaren, das seiner Herkunft als Proletarier widersprach, jedoch dem Selbstbewußtsein der Boheme entspricht. Er bürstete sich das Haar akkurat nach hinten, glättete es mit Pomade, trug glänzende Lackschuhe, nahm Herrenparfum. Johanna Ey hat in ihren Erinnerungen diese Seite an Dix geschildert, die sie bei seiner Ankunft beobachten konnte. Wie er im feinen Anzug und Lackschuhen aussah, malte Dix 1923 nach seiner Eheschließung: *Selbst mit Gattin* (verschollen). Hugo Erfurth fotografierte das Bild; Willi Wolfradt publizierte es noch 1923 im «Cicerone».[66] Es handelt sich jedoch nicht um ein Hochzeitsbild, sondern um die Darstellung des Paars beim Schautanz. Weil sie vorzügliche Tänzer waren, faßten Martha und Otto Dix damals den Plan, so herausgeputzt als Tanzpaar aufzutreten, um zusätzlich Geld zu verdienen; daraus wurde jedoch nichts. Dies erklärt den geschniegelten, bourgeoisen Aufzug. Die Komposition zeigt beide Figuren streng frontal, stocksteif wie zwei Holzpuppen vor dunklem Hintergrund, gleichsam als künstliche Menschen. Beckmann hat sich 1941 von dem Bild zu einem «Selbstporträt mit Gattin» anregen lassen, das jedoch lockerer gemalt ist.

Mit Gert Wollheim von der rheinischen Sezession arbeitete Dix eine Zeitlang in Ateliergemeinschaft. Durch ihn und Mutter Ey erhielt er engere Kontakte zu den Malern des «Jungen Rheinland»: Max Ernst, Otto Pankok, J. Paul Schmitz, Jankel Adler, Adalbert Trillhaase, Karl Schwesig und Arthur Kaufmann. Alle sind vereint mit Dix, Johanna Ey und Herbert Eulenberg auf dem Gruppenbild mit Selbstporträt von Arthur Kaufmann (Stadtgeschichtliches Museum Düsseldorf): «Zeitgenossen» (1925).

Mutter Ey stellte Werke ihrer Schützlinge aus und kaufte auch an. Von Dix erwarb sie als bedeutendstes Gemälde das *Elternbildnis I.* Wie die anderen Maler porträtierte auch Dix Johanna Ey (Zeichnungen und Gemälde 1924).

Es fällt auf, daß Dix seit den Kriegsjahren keine Landschaften mehr malte; es entstehen zahlreiche Aquarelle (*Selbstbildnisse, Porträts, Straßenmädchen*). Dominierende Gattung ist das Bildnis: zu dieser Zeit – im Gegensatz zu den Berliner Jahren – meist Porträts von guten Bekannten oder Kollegen. Neben den *Selbstbildnissen* (*mit Modell*, 1923) sind die herausragenden *Porträts* das von *Hans Koch* und das des Kunsthistorikers und Direktors des Dresdner Stadtmuseums *P. F. Schmidt* (1921, Stuttgart, Staatsgalerie), der Dix förderte und Werke mit Unterstützung von Mäzenen erwarb; das des Rechtsanwalts der «Roten Hilfe», *Dr. Fritz Glaser* (1921, Dresden, Neue Meister); das des Herausgebers von «Menschen», *Heinar Schilling* (1922, Freital, Kreismuseum). Schilling war der Sohn des wilhelminischen Bildhauers Johannes Schilling, der das Niederwald-Denkmal, in Dresden das Rietschel-Denkmal und die vier Gruppen an der Treppe der Brühlschen Terrasse geschaffen hatte. Schilling arbeitete in seiner Zeitschrift mit Rheiner und Hasenclever zusammen, war aber eine zwiespältige Figur; nach 1932 schloß er sich den Nazis an. Dix zeigt in seinem Bildnis mehr als die sichtbare äußere Erscheinung. Durch «Deformation», Farbenausdruck und übersteigerte Zeichnung gelingt es ihm, das Wesen des Dargestellten zu erfassen und so entscheidend über die Fotografie, die nur Momentaufnahmen kennt, hinauszugehen. Das gilt auch für das *Bildnis* (des Juweliers) *Karl Krall*, das 1923 in Düsseldorf entstand, und das Porträt des Malerkollegen *Adolf Uzarski*. Die Wechselbeziehung zwischen dem Antlitz der Dargestellten und der Sprache ihrer Hände spielt eine zentrale Rolle; dazu kommt die Charakterisierung durch Farben und durch die realen und phantastischen Hintergründe. Seit 1922 zeichnete Dix auch den *Fotografen Erfurth* in mehreren Varianten, die auf ein großes Gemälde hinzielen. Dazu kommen Zeichnungen von *Karl Nierendorf* (1921), von dem Geraer Politspinner (*Prophet von Gera, Neuer Messias*) Karl Seidel, den auch Kurt Günther porträtierte; in

Selbst mit Gattin. 1923 (verschollen). Fotografiert von Hugo Erfurth

Düsseldorf zeichnet Dix den Maler und Bildhauer *Otto Freundlich, Paul Westheim* und *Otto Klemperer*.

Dazwischen entstehen immer wieder Bildnisse von seiner Frau Martha und ihm selbst. Es ist die Zeit des *Alten Liebespaares* (1923, Berlin [Ost], Nationalgalerie), eines erschreckenden Vanitas-Bildes, das deutlich Anregungen des altdeutschen Hans Baldung Grien verarbeitet, und des *Selbstbildnisses mit nacktem Modell*, einem Werk, in dem sich Dix als rücksichtsloser Beobachter zeigt. In technischer Hinsicht nähert er sich mehr und mehr der altmeisterlichen Lasurtechnik: 1924 entstehen mit dem Selbstbildnis *Künstler und Muse*, dem *Elternbild II* und dem Vanitas-Bild *Stilleben im Atelier* (Stuttgart, Galerie der Stadt) erste Werke der Lasurtechnik. Im Stuttgarter Bild paraphrasiert er den Surrealismus: Der pralle Akt eines weiblichen Modells sitzt neben einer von Motten zerfressenen Stoffpuppe; für die Darstellung der Wände verwendet Dix Sand, den er in die nasse Farbschicht streut.

Auch mehrfigurige Bildnisse entstehen 1923 in Düsseldorf, so die *Familie Trillhaase* und das *Gruppenporträt Franke, Schmidt, Nierendorf*.

Es fällt auf, daß Dix einige Personen (seine Frau, Glaser, die Eltern) mit Sympathie malt, andere jedoch (Koch, Krall, Franke/Schmidt/Nierendorf) mit erbarmungsloser Realistik, ja, teils voll Spott darstellt. Das veranlaßte Willi Wolfradt 1924, über die Bildnisse zu schreiben, sie «gleichen Steckbriefen in ihrer aufhetzenden Sachlichkeit, die rücksichtslos alle ‹besonderen Merkmale› protokolliert. Sie sind haarsträubend ähnlich und zudem von monomaner Überwirklichkeit der Erscheinung.» Porträtiert Dix entsprechend dem sozialen Milieu und dem intellektuellen Stand des Dargestellten oder gemäß seinem persönlichen Verhältnis zu seinen Modellen?

Die großen *Bildnisse der Eltern*, die Dix 1921 und 1924 schuf, verdienen, Hauptwerke genannt zu werden. Auffallende Unterschiede in der jeweiligen Formgebung sind für die Entwicklung der Dixschen Kunst und für die der deutschen Malerei der zwanziger Jahre signifikant.[67] *Eltern I* entstand noch in der Dresdner Zeit 1921 bei häufigen Besuchen in Gera (Uferstraße), *Eltern II* 1924 in Düsseldorf. Da Dix zu seiner Mutter eine innigere Beziehung als zum Vater hatte, stellte er die alte Frau auch später immer wieder dar, zum Beispiel in der Lithographie 1949 *Meine Mutter 86 Jahre alt*. Dix muß seine Mutter in metaphorischer Weise als alten B a u m empfunden haben, denn 1935 malt er sie sitzend vor einem Baumstamm mit der kleinen Tochter seiner Schwester Toni: *Mutter und Eva* (Karton in Privatbesitz München, das Gemälde in Essen, Folkwang-Museum). Im Jahre 1953 zeichnet er die Mutter auf dem Totenbett (sie starb am 26. August 1953, der Vater bereits im Juli 1942). Bemerkenswert ist ferner, daß Hugo Erfurth die Eltern von Dix mehrmals fotografierte (um 1926). Auch hier läßt sich die Wechselbeziehung zwischen dem Maler und dem Fotografen nachweisen.

Bildnis der Eltern Louise und Franz Dix. 1921
(Basel, Öffentliche Kunstsammlungen)

Es existiert eine Gruppe von Zeichnungen als Vorarbeiten für die Gemälde der Eltern; sie zeigen jeweils nur einen Kopf, nicht die ganze Komposition (Museum zu Düren; Städtische Museen Gera; Freital, Kreismuseum). Außerdem gingen den Bildnissen auch Studien von *Arbeitshänden* voraus (Zeichnung von 1920). Dix sucht den Dialog zwischen der Sprache des Gesichts und der Ausdruckskraft der Hände.

Im *Elternbild* von 1924 ist die Orientierung an der Kunst der altdeutschen Meister deutlich; sie ist größer als das mögliche Vorbild romantischer Eltern-Bilder (etwa Runge) und als Formulierungen des späten 19. Jahrhunderts (Thoma, Welti). Detailtreue, Maltechnik und die Art der Signatur auf dem Wandzettel weisen auf die altdeutsche Tradition.

Diese zweite Version kann gegenüber der ersten nicht mehr als engagierte Darstellung des Proletarier-Milieus interpretiert werden. Die Veränderung der Formgebung geht mit dem Wandel des Gehalts einher. Es ist der Schritt zur angestrebten Objektivierung. Das erste Bild zeigt die

alten Leute geduckt, erschöpft und ausgemergelt von der harten Arbeit –
darin verwandt dem Bild der *Schwangeren Arbeiterfrau*. Das Gemälde
von 1924 jedoch zeigt die Eltern in ruhigerer Pose, mit herungergekrem-
pelten Ärmeln nebeneinander sitzend, gleichmäßig beleuchtet.

Diese Veränderung in der Formgebung ist ein Exempel für die Form–
Inhalt-Einheit. Es macht deutlich, daß nur in der Form (im Wie) die
Aussage liegen kann, nicht aber im bloßen Inhalt (im Was). Die veränderte Gestaltungsweise läßt den Schluß zu, daß sich hier ein Realismus-
Wandel vollzieht, von einem expressiven zu einem sachlicheren Stil, anders gesagt: von einem subjektiv sozialkritischen Verismus (Realismus)
zu einem objektiv sachlichen Verismus (Naturalismus). Damit zeigen
beide Werke exemplarisch die Dixsche Kunst und zugleich die Entwicklung der deutschen Malerei jener Zeit. Wolfradt kennzeichnete sie schon
1923: Die Formensprache entwickle sich «fort von flackernder Un-
ruhe... und visionärer Undurchsichtigkeit – hin zu zeichnerischer Prä-
gnanz, sachlicher Entschiedenheit».

Bildnis der Eltern II. 1924
(Hannover, Niedersächsische Landesgalerie)

Das erste *Elternbild* kaufte Johanna Ey; später gelangte es in das Kölner Museum. Im Juni 1939 wurde es von den Nazis zur Versteigerung nach Luzern geschafft. Es hängt heute im Kunstmuseum zu Basel; das zweite ist im Museum moderner Kunst in Hannover zu sehen. 1955 repräsentierte es die Malerei von Dix auf der documenta I in Kassel.

Um 1923 entstehen verschiedene Zeichnungen vom Kriegsgeschehen, die zwischen den frühen Blättern und den veristischen Graphiken von 1924 vermitteln. Noch in Dresden begonnen, vollendet Dix 1923 in Düsseldorf die große Leinwand *Der Schützengraben* (2,30 × 2,50 m). Das Werk steht paradigmatisch für Dix' Kunst, ihre Wirkung und die Kontroversen um sie. Hans F. Secker kaufte das Gemälde noch 1923 für das Kölner Museum. Dies war eine mutige Tat, wie die Rezeption zeigen sollte. Im November-Dezember-Heft von Westheims «Kunstblatt» wird es in einem Artikel von Paul Fechter über die nachexpressionistische Situation ganzseitig abgebildet. In der «Kölnischen Volkszeitung» berichtet H. Reiners am 1. Dezember 1923 über die «Neuordnung der Kölner Museen» und schreibt zum Werk von Dix: «...furchtbarer kann die Wirkung des modernen Menschenmordens nicht gegeben und der wahre Inhalt des Krieges nicht geschildert werden. Inhaltlich ist es das grausigste Bild, das vielleicht je gemalt wurde... Und darum wird der Inhalt immer wieder in den Vordergrund treten und deshalb das Bild viele Gegner finden.»

Im April 1924 wird das Gemälde von Liebermann für die Ausstellung der Berliner Akademie geholt. Der Kunsthistoriker Julius Meier-Graefe wird von einer Zeitung gebeten, sich über die Akademien zu äußern. In seinem Artikel[68] sagt er wenig dazu, um so mehr aber gegen das Gemälde von Dix. Meier-Graefe verschließt sich den Schrecken des Krieges und argumentiert ästhetisch. Die Grenze des erlaubten Unfugs sei mit dem Kauf des Bildes überschritten; er bezeichnet den *Schützengraben* als «Schmutz», als «Monstrum» und schlägt vor, ihn wieder aus dem Museum zu entfernen (was die Nazis später taten) oder selbst mit Dix zu verhandeln, um den Maler zum Tausch zu bewegen. «Als Antwort bekam ich zu hören, der geschätzte Verkünder des Impressionismus sei nicht imstande, ein Nix von einem Dix zu unterscheiden», schreibt Meier-Graefe. Er findet das Bild schlecht gemalt: «...mit einer penetranten Freude am Detail, aber bitte schön, nicht am sinnlichen Detail, sondern am begrifflichen. Gehirn, Blut, Gedärm können so gemalt werden, daß einem das Wasser im Mund zusammenläuft. Das hat der junge Max Liebermann... bewiesen. Die zweite Anatomie Rembrandts mit dem offenen Bauch ist zum Küssen. Dieser Dix ist... zum Kotzen.» Der Artikel des sonst schätzenswerten Meier-Graefe («Entwicklungsgeschichte der modernen Kunst», 1904) war infam. Im Kölner Museum standen die Menschen damals Schlange, um das Gemälde zu sehen. Schlecht gemalt war es keineswegs. Erschreckend ist die Tendenz, Kunstwerke, deren Aussage unbequem ist, als «Schmutz» entfernen lassen zu wollen. Welche Veranlas-

Schützengraben, Öl 1923, ehem. Dresden Stadtmuseum,
1940 an B. Böhmer verkauft (wo?)

sung bestand, die Sterbenden und Toten des Kriegs so zu malen, daß
einem das Wasser im Mund zusammenläuft? Meier-Graefe ahnte es,
wenn er schrieb: «Wahrscheinlich hat Herr Dix in aller Einfalt für den
Pazifismus wirken wollen, die bekannte Abschreckungstheorie.» Dix
wollte mit seinem fast unerträglichen Verismus die grauenvollen Tatsachen zeigen. Der Streit ging hin und her. Die Maler des «Jungen Rheinland» verteidigten das Bild und die Person Otto Dix; sie entgegneten
Meier-Graefe, daß er begeisterter Kriegsberichterstatter gewesen sei,
während Dix den Krieg erlebt habe. Tatsächlich stellt der *Schützengra-*
ben das Grauen der Kriegswirklichkeit dar, das die Soldaten täglich erleben mußten. Max Liebermann, P. F. Schmidt und Paul Westheim traten
für das Werk ein. Liebermann deutete es als «Personifizierung des Krieges»[69] und schrieb an Secker: es sei würdig für die Nationalgalerie. Willi
Wolfradts Text ist wegen der Vehemenz der Sprache und der Einstellung

zum Krieg von besonderer Bedeutung: «Wahrlich zum Kotzen und nicht zum Komfort ist das gemalt, dies himmelschreiende Stilleben der Würmer in aufgeschmetterten Schädeln, diese wahnsinnige Landschaft gespießter, wild zusammengestampfter Leiber. Eine gewisse ‹Indiskretion der Mittel› ist ja nicht in Abrede zu stellen, aber die wird doch wohl dem Kriege auch nachgesagt, – eben in diesem Bild. Wie halt so ein Frontschwein malt, meine Herren; es ist direkt unästhetisch! – Allerdings, und das ist Dix überhaupt. Er scheut keine Brutalität des Ausdrucks, keine Blutrünstigkeit, um nur g e s e h e n zu werden, zu wirken, zu packen, die furchtbare Vergeßlichkeit der Menschen zu durchbrechen. Gibt es ein deutlicheres Zeugnis dieser lästerlichen Vergeßlichkeit als jene geschmäcklerische Kunstgesinnung, die sich von Dix skandalisiert fühlt und glaubt, es wäre heute an der Zeit, das Aas der Schlachtfelder als malerische Delikatesse zu erleben? Dix ist eine einzige Obstruktion gegen das subtile Bildchen, das so tut, als ob nichts gewesen ist. Im übrigen ist gerade dieser ‹Schützengraben› ein Beispiel malerischer Gewalt... Welch ein Wandschmuck für die Schulen! Welch ein Memento!»[70]

Der von Meier-Graefe entfachte Streit um das Gemälde, die Frage nach Detail-Penetranz (womöglich echtes Blut aufzukleben, demnächst ein Klosett auszustellen) umfaßt bereits die gesamte Problematik des Realismus bis in unsere Tage im Hinblick auf Authentizität, Verhältnis von Wirklichkeit und Wahrheit und den Sinn von Detailtreue (Edward Kienholz, Duane Hanson, Siegfried Neuenhausen). Der *Schützengraben* muß zusammengesehen werden mit den *Mappen Der Krieg*, die Dix im Jahre 1924 als Protokolle des Grabenkriegs herausbrachte. Die Auseinandersetzungen über die Interpretation des *Schützengraben* als pazifistisches oder nichtpazifistisches Werk, als abschreckendes oder den Krieg andächtig darstellendes Gemälde kann nur sinnvoll geführt werden, wenn die Frage nach der Wirkung einbezogen wird. Angesichts der Dixschen Kriegsdarstellungen, die zeigen, wie es gewesen ist, dürfte jedem Soldaten die Lust auf patriotische Kriege vergehen. Werk und Wirkung sind untrennbar. Ernst Kallái hat das Gemälde 1927 aus dieser Einheit von Werk und Wirkung gelöst und subjektiv interpretiert: Es reiche in einen Bezirk von Monumentalität, «in dem es völlig gleichgültig ist, ob man gegen das Ungeheuerliche protestiert oder es in schauernder Andacht über sich ergehen läßt. Das Schützengrabenbild könnte ebensogut der Gegenstand höchster Anbetung eines fanatischen Kriegsgottverehrers, als pazifistisches Propagandamittel sein.»[71]

Der Schrecken, den das Bild im Betrachter auslöst, steht über mystischer Verklärung, die Kallái unterstellt – auch wenn Dix sich später zu dessen Auffassung geäußert haben soll: *Der Mann hat recht!* Der radikale Feststellungswille von Dix ist entscheidend. Ihm verdanken das Gemälde und die Radierungen ihre Entstehung und ihre abschreckende Wirkung. Außerdem widerlegt die Reaktion der Nazis alles Gerede um die unterstellte mystische Andacht eines «Kriegsverehrers». Den Nazis war das Werk ein «Zeugnis der Zersetzung des Wehrwillens des deutschen Volkes», es bedeutete ihnen also mehr als nur «Schmutz» und ein ästhetisches «Monstrum». Unterscheiden wir zwischen der Einstellung von Dix bis 1918 und der um 1923/24, so läßt sich anfängliche Erlebnisgier und bitterer Sarkasmus absetzen von dem Willen zu protokollieren und damit eine Reportage des Schreckens in aufrüttelnder Verdichtung zu liefern. Dix stellt nicht die Urheber des Krieges, aber seine Folgen dar.

Nachdem das Kölner Museum den *Schützengraben* wegen Drucks von außen – wobei der Kölner Bürgermeister Adenauer eine Rolle spielte – an die Galerie Nierendorf zurückgegeben hatte, schickte Dix das große Werk auf die Wanderausstellung «Nie wieder Krieg!» – wobei es auch in der Broschüre «Nie wieder Krieg» der sozialistischen Arbeiterjugend West-Sachsen abgebildet war (S. 51). Im September 1925 wird das Werk in Zürich auf der Internationalen Kunstausstellung gezeigt. 1928 kaufen es die Stadt Dresden und der dortige Galerieverein für je 5000 RM gemeinsam («Dresdner Stadtanzeiger», 16.11.1928). Das Gemälde war aber um 1930 im Depot des Stadtmuseums. Der frühere Titel war häufig *Der Krieg*. Bei der NS-Machtergreifung 1933 gehörte es zu den meistgehaßten Werken der «marxistisch-jüdischen Verfallskunst». Als die Nazis Guhr, Gasch und Müller (der neue Rektor der Akademie) im September 1933 ihre Schandausstelllung mit Expressionisten, Realisten und Abstrakten organisierten – meist Werke aus dem modernen Stadtmuseum –, hingen von Dix die *Kriegskrüppel* und *Der Krieg* neben Grosz, Voll, Schwitters, Heckel und anderen im Zentrum dieser Schau, die bereits den Titel «Entartete Kunst» trug (Lichthof, Rathaus Dresden).[72] Müller gab der Aktion den Namen «Spiegelbilder des Verfalls in der Kunst» (vgl. «Dresdner Anzeiger», 23.9.1933) und sah in dem Bild der zerfetzten Toten im Schützengraben eine «Entwürdigung des gefallenen deutschen Frontsoldaten... der doch verdient, daß man ihm nach seinem Heldentode ein ihn ehrendes Denkmal setzt». Nach dieser Vorläufer-Schau der «Entarteten Kunst» von 1937/38 verblieb das große Bild in der Dresdner «Schreckenskammer». Hitler und Göring besuchten im August 1935 Dresden und wurden vom Oberbürgermeister Zörner durch die Dresdner «Entartete Kunst»-Schau geführt (vgl. die «Kölnische Illustrierte Zeitung», 17.8.1935). Hitler soll gesagt haben, es sei schade, daß man diese Leute nicht einsperren kann und daß «dieses Kulturdokument auch in anderen deutschen Städten gezeigt» werden soll.

Daraufhin zeigten Nürnberg, Dortmund, Regensburg, München die Dresdner Schau («Neue Freie Volks-Zeitung», 5.3.1936). In den Jahren 1937 und 1938 hing dann der *Schützengraben* in der großen Wanderausstellung «Entartete Kunst» als «Wehrsabotage» in München, Berlin, Leipzig usw. Auf den letzten Stationen hing das Werk jedoch nicht mehr, weil es der Händler B. Boehmer (Güstrow) hatte und versuchte, es nach

Basel (Kunstmuseum) zu verkaufen. Bei der NS-Verbrennung von Kunst 1939 in Berlin war es also nicht dabei – wie Dix selbst dachte. Boehmer hatte das Bild im Januar 1940 für $ 200 gekauft. Hat es sich erhalten?

In dem Interview von 1965 mit Maria Wetzel sagte Dix: *Das haben sie verbrannt; ja verbrannt. Erst haben sie es rumgeschleppt... wie auf dem Jahrmarkt; dann auf der Ausstellung «Entartete Kunst» begeifert und nachher, 1939 wahrscheinlich, im Hof der Berliner Feuerwache verbrannt.*[73]

In der Düsseldorfer Zeit zeichnet und malt Dix seine berüchtigten Bilder von *Prostituierten, Zuhältern, alten Frauen und Straßentypen*; technisch bevorzugt er eine Zeitlang das Aquarell. Die Wiedergabe von Kriegskrüppeln verbindet ihn mit Grosz, der in seinen Zeichnungen die Opfer des Kriegs den Neureichen gegenüberstellte. Solche Konfrontation von Arm und Reich, Krüppeln und Unternehmern thematisiert Dix später im *Triptychon «Großstadt»* (1927).

Dix wußte, daß seine realistischen Milieubilder von der bürgerlichen Gesellschaft und der Kirche abgelehnt wurden, weil sie wie ein Spiegel waren, in dem sich die Gesellschaft erblickte. *Kein Mensch will das sehen. Ja, was soll denn das eigentlich alles... die ollen Huren und die ollen abgetakelten Weiber und all die Kümmernisse des Lebens... Kein Mensch hat Freude daran. Keine Galerie will das aufhängen. Wozu malst du das überhaupt?! Also, wenn ich den Worten des Herrn Pfarrer gefolgt wäre, da hätte ich nie im Leben ein Bild gemalt... ich muß schon sagen, ich folge lieber meinem Dämon... Das sind die Leute, die gefährlichen, die selber bissel malen, die da glauben, sie hätten's nun gefressen... sie könnten nun Kritik anlegen, und sie müßten das, was nicht ist wie nazarenische Malerei... einfach ablehnen, nicht wahr. Der Heilige Vater lehnt's ja auch ab, und die evangelische Kirche auch, die katholische Kirche lehnt's auch ab. Ja, ich mal ja gar nicht für die; weder für die noch für die. Tut mir leid. Ich bin eben ein derart souveräner Prolet, nicht wahr, daß ich sage: Das mach ich! Da könnt ihr sagen, was ihr wollt. Wozu das gut ist, weiß ich selber nicht. Aber ich mach's. Weil ich weiß, so ist das gewesen und nicht anders!*[74]

Nach Vollendung des *Schützengraben* bereitet sich Dix 1923 auf die Mappen zum Krieg vor, indem er zahlreiche Zeichnungen in einem gegenüber 1917 gewandelten Stil ausführt und die Radier- und Aquatinta-Technik mit seinem Lehrer Herberholz erprobt.

In einem Brief vom 9. Juni 1923 an Dix bitten Heartfield und Grosz um Mitarbeit für ihre mit Wieland Herzfelde herausgegebene Zeitschrift «Die Pleite» (der Titel stammt von Carl Einstein). Im Juliheft 1923 erscheint die Reproduktion der Zeichnung *Zwei Opfer des Kapitalismus*. Den Kreis um die Brüder Herzfeld und Einstein dürfte Dix spätestens seit der DADA-Messe von 1920 gekannt haben. Der Titel der Dix-Zeichnung stammt wohl nicht vom Künstler selbst, sondern wahrscheinlich von den Herausgebern der «Pleite», die wesentlich politischer dachten als Dix.

Mit der Federzeichnung stellt er Opfer jener Zeit dar: den Mann aus dem Volk, der im Grabenkrieg für den Kaiser und die Generale um den Sinn seines Lebens gebracht wurde, und die Frau, die zwar nicht im Krieg kämpfen, sich aber in der Inflationszeit prostituieren mußte, um sich und ihre Kinder am Leben zu erhalten. Das Blatt könnte als Verdichtung jener Zeit geradezu das «Gesicht des Kapitalismus um 1923» genannt werden.

Dix hatte vom Kölner Museum 6000 Mark für den *Schützengraben* erhalten. Im Winter 1923/24 unternimmt er mit seiner Frau Martha und dem Maler Arthur Kaufmann eine ausgedehnte Italien-Reise – über Saig (Schwarzwald) nach Florenz, Rom, Neapel und Sizilien. In Palermo sieht er 1924 die Katakomben und zeichnet und aquarelliert die Totenköpfe. Diese Studien verklammern sich mit seinen Kriegserlebnissen, so daß beide in die Kriegs-Radierungen eingingen. In den italienischen Museen beeindruckten Dix am stärksten Bilder von Mantegna. Er schreibt Postkarten an Freunde und an Kunstsammler, unter anderem an Glaser, Erfurth und Max Roesberg (Dresden), der Werke von Dix, Voll und Kretzschmar sammelte. Roesberg war es im übrigen, der 1924 die Büste Dix von Christoph Voll kaufte und sie in Bronze gießen ließ.[75] Dix verzichtete aber in seinem Antwortbrief auf einen Guß für sich als ‹Besitz› – *da ich gerade beim Radieren eines Kriegszyklus war, konnte ich Ihnen nicht eher schreiben...*

> «Weshalb soll ich mich für den Surrealismus interessieren? An der Somme habe ich einschneidendere geistige Erfahrungen gemacht.» (Paul Nizan, 1938)

1924 – das Anti-Kriegsjahr. Dix bringt im Verlag Karl Nierendorfs (Berlin) den Zyklus *Der Krieg* heraus, fünf Mappen zu je zehn Blatt Aquatinta-Radierungen, 70 Exemplare werden bei Felsing in Berlin gedruckt.[76] Für eine Buchausgabe bei Nierendorf mit 24 Bildern schrieb Henri Barbusse ein Vorwort, das im Katalog der Dix-Ausstellung bei Nierendorf 1926 wieder abgedruckt wurde (s. S. 90).

Im Anti-Kriegsjahr erschienen für den Pazifismus zentrale Publikationen: so das Werk «Krieg dem Kriege» von Ernst Friedrich, der ein Anti-Kriegsmuseum gründete, das die Nazis im März 1933 schlossen. Sein viersprachig ediertes Buch enthielt Fotodokumente aus dem Krieg, besonders Fotos von Verletzten und Verstümmelten.

Die «Politischen Zeichnungen» von Frans Masereel erscheinen 1924 in der von Kasimir Edschmid herausgegebenen Reihe «Tribüne der Kunst und Zeit» als Band X; es handelt sich um höchst kritische Blätter, die thematisch teils den Graphiken von Dix nahestehen (Kriegskrüppel und Bourgeoisie «La Curiosité» p. 67), aber überwiegend die Ursachen des

So sah ich als Soldat aus

Diese Probe der Kriegsmassen widme ich
Karl Nierendorf
im Juni 1924

Selbstbildnis als Soldat. 1924,
Federzeichnung (Galerie Nierendorf)

Kriegs darstellen, ihn scharf verurteilen und die Idee des nationalen
Krieger-Denkmals radikal verspotten («Sieges-Denkmal in Washington»
– ein riesiger Totenkopf zwischen Wolkenkratzern).

1924 vollendet Ludwig Renn sein Buch «Krieg» (erschienen 1928); Arnold Zweig beginnt seine Romanfolge «Der große Krieg» zu schreiben,
die von 1927 an erschien. Erich Maria Remarque arbeitet an «Im Westen
nichts Neues», das 1929 publiziert wurde.

Während Arnold Gehlen 1965 («Zeitbilder») die Kunst des Dix eine
«abgelebte Elendsmalerei» nannte, erkannte Werner Haftmann, sonst
ein Apologet der Abstrakten, den Rang der Kriegsdarstellungen und
die epochale Bedeutung der Mappen von 1924.[77] Der Zyklus ist eine ein-
zigartige Darstellung des grauenvollen Kriegs, ein einmaliges Bild-
dokument unseres Jahrhunderts; denn kein anderer Künstler hat die

Schrecken des Kriegs so lange durchlitten und in solch künstlerisch bedeutender Weise ausführlich verbildlicht. Sowohl in seiner Tendenz zum Realismus als auch durch die Darstellung von Kriegsgreueln steht Dix in der Nachfolge von Francisco de Goya, der das Wüten der Franzosen unter Napoleon um 1808 in Spanien in einer Folge von 83 Aquatinta-Radierungen gestaltet hatte: «Los Desastres de la Guerra» (Madrid 1863 erschienen). In der gespenstischen Verbindung von Figur und Raum, in Hell-Dunkel-Wirkungen und in technischen Details besteht manche Parallele zwischen Dix und Goya.

Beinahe alle schrecklichen Tatsachen des gegenseitigen Mordens, die Dix verbildlicht hat, finden sich auch in «Le Feu» von Henri Barbusse (1915, dt. Ausgabe 1918), in dem gleichnamigen Kap. 20, das ein Schlachtfeld nach einem Artillerieangriff beschreibt: «Die Erde ist derart mit Toten bedeckt, daß die abgerutschten Erdmassen mit herausstarrenden Füßen und halbbekleideten Skeletten gespickt sind; daneben liegen dicht nebeneinander Schädelmassen auf der steilen Wand... Da hast du gesehen, wie so 'n 38er in ein Haus fuhr, in Verdun, zum Dach rein, zwei, drei Stockwerke durch, und unten geplatzt, der ganze große Stall mit in die Luft. Und außen flogen die Bataillone auseinander und legten sich auf den Bauch unter dem Sturm...» Diese Beschreibung paßt zu dem Blatt von Dix aus seiner 4. Mappe, *Das zerstörte Haus*. Das Werk gehört im übrigen zu denjenigen Radierungen, die die Inspiration durch Goyas Kunst belegen.

Sturmtrupp unter Gas geht vor. 1924, Radierung

Das zerstörte Haus. Radierung. 1924

Dix zeigt in seinen Radierungen überwiegend tote Soldaten, zerschossene Gräben, verwesende Leichen, Sterbende, zerwühlte Felder, Todeslandschaften voller Trichter, die abgekämpfte Truppe, Leichen im Stacheldrahtverhau; er zeigt so gut wie nie die «heldenhaft» Kämpfenden. Gespenstisch wirkt das großartige Blatt *Sturmtrupp geht unter Gas vor*. Doch vor und nach diesem liegen die schrecklichsten Todesbilder, die zeigen, wie der Angriff für die Soldaten enden wird. Die Szenerien sind kaum beschreibbar: Gastote werden aufgereiht; Pferdekadaver strecken ihre Beine in den Himmel; ein Irrsinniger wankt durch Trümmer vor der Loretto-Höhe; auch die Zivilbevölkerung bleibt nicht verschont: *Lens wird mit Bomben belegt.*

Zwischen den Blättern von Dix und Beschreibungen in dem 1929 erschienenen Roman «Im Westen nichts Neues» bestehen überraschende Übereinstimmungen. Auch der grimmige Witz und der bittere Humor als einzige Möglichkeit, das Furchtbare auszuhalten, sind gemeinsam: «Wir tun das nicht, weil wir Humor haben, sondern wir haben Humor, weil wir sonst kaputtgehen... Und ich weiß: all das... wird nach dem Kriege wieder aufwachen, und dann erst beginnt die Auseinandersetzung auf Leben und Tod.»[78] Remarque ist es wie Dix ergangen: «Ebenso zufällig, wie ich getroffen werde, bleibe ich am Leben.» In der 4. Mappe von Dix befindet sich die Radierung *Transplantation.* Sie zeigt einen der unzähligen durch Granatsplitter Verstümmelten, denen das Gesicht zerstört wurde. Ernst Friedrich hat in seinem Buch «Krieg dem Kriege» (1924) eine Reihe Fotos von Kopfverletzten gezeigt; Dix stellt einen solchen dar, im Lazarett sitzend, als Beispiel für alle. «Erst das Lazarett zeigt, was Krieg ist», schrieb Remarque.

Zerstörtes Haus. Radierung um 1815 von Francisco de Goya.
Aus: «Desastres de la Guerra» (Hamburger Kunsthalle)

Dix hat neben den Graphik-Mappen verschiedene Blätter mit Bleistift und Aquarell angefertigt, die Kopf- und Gesichtsverletzungen darstellen, so 1923 *Zur Erinnerung an die große Zeit* (Dresden)[79]. In der radikalen Wiedergabe von Kriegskrüppeln steht Dix inhaltlich Grosz nahe, doch unterscheiden sich seine Arbeiten durch die Veristik der Mittel von den zur Karikatur neigenden Arbeiten des anderen. Während aber Grosz zugleich Verursacher und Opfer des imperialistischen Kriegs darstellt, also Generale und Krüppel konfrontiert, geht er über die Dixschen Feststellungen hinaus. Dix zeigt, ohne die gesellschaftlichen Ursachen aufzudecken, was er gesehen hat – *so ist das gewesen und nicht anders*.

Heinz D. Kittsteiners Interpretation ist zuzustimmen; er schrieb: «Dix sucht weder eine Antwort auf die… Frage: Wie konnte das geschehen? noch entlarvt er politisch gezielt die Repräsentanten der bürgerlichen Gesellschaft als die Schuldigen. In der Kriegsmappe ist er einer Massenpsychologie des Kapitalismus auf der Spur: die Opfer sind zugleich die Stützen eines Systems, das sie im Ersten Weltkreig vor Verdun verrecken ließ und im Zweiten Weltkrieg bis nach Stalingrad jagte… Der Weg der abgekämpften Truppe führt nicht in die Revolution. Dix ist kein Militarist wie Ernst Jünger; er findet nicht die Bewährung des Menschen im Kriege, sondern eine Degradierung. In dieser Reduktion aber… entdeckt er die tiefgreifende Verflechtung von Herrschaft des Systems mit dem Bewußtsein der Opfer. Vor der Skepsis der Kriegsmappe verblassen alle vorschnellen Hoffnungen auf eine bessere Welt.»[80]

Zur zeitgenössischen Rezeption der Kriegsmappen seien hier noch Pressestimmen von 1924 und 1925 wiedergegeben[81]:

«Berliner Zeitung am Mittag»: «Wer sich vor diesen Bildern nicht gelobt, Kriegsgegner bis ins Innerste zu werden, der ist wohl kaum mehr Mensch zu nennen.»

«Börsen-Courier»: «Neben dem Buch von Barbusse sind diese Radierungen das einzige Dokument des Krieges, sachliche Schilderung und furchtbarste Anklage zugleich.»

«Neues Tageblatt», Stuttgart: «…das erschütterndste Dokument der Kunst über den Krieg. Das Werk… stellt sich ebenbürtig neben Goyas ‹Desastres de la Guerra›. Es würde allein genügen, späteren Zeiten von den unsagbaren Leiden zu berichten, die der Weltkrieg über unser Geschlecht gebracht hat.»

Im Jahre 1961 schrieb Jean Cassou, Dichter und Kunstkritiker, Hauptkonservator am Pariser Musée Nationale d'Art Moderne, zur Ausstellung der Kriegs-Zeichnungen einen Text, in dem er das blanke Morden in der Kriegsmaschinerie hervorhebt: «War nicht die Wirklichkeit damals selbst zum Alptraum geworden?…diese ganze Einrichtung… verfolgte ja nur ein Ziel: den Mord.»[82] Im Rückblick äußerte sich Dix zu seinen Kriegsmappen: *Waren Radierungen; waren auch ganz einfache Kaltnadelradierungen dabei. Ätzverfahren habe ich auch angewendet… Ja, nach-*

dem man draußen alle diese Dinge ganz genau, brutal realistisch gesehen, als Zeichner und als Mensch registriert hatte, nicht als «Literatur» hingeschrieben, sondern erlebt, mit den Augen aufgenommen, mit der Nase gerochen, mit allen Sinnen erlitten hatte, dann sah man eben auch, wenn man zurückkam, seine ganze Umgebung in diesem Sinne...[83]

Im Jahre 1924 beteiligt Dix sich an einer Unterschriftenaktion für die Erhaltung des Acht-Stunden-Tags; er unterzeichnet zusammen mit Toller, Piscator, Schlichter, Freundlich, Grosz, Erich Mühsam, Otto Nagel, Zille, Hofer, Ernst Friedrich, Lu Märten und andere den Aufruf «An alle Künstler und geistig Schaffenden!». Mit je einer Graphik nimmt Dix an zwei Publikationen im Rahmen der Internationalen Arbeiterhilfe (IAH) teil: *Hunger* – sieben Originallithographien der Künstlerhilfe (Dix, Grosz, Eric Johansson, Käthe Kollwitz, Otto Nagel, Karl Völker, Zille) und: *Krieg* – 7 Originallithographien, herausgegeben von der Künstlerhilfe zum zehnten Jahrestag des Kriegsbeginns (Dix: *Mahlzeit in der Sappe Lorettohöhe*, Grosz, Nagel, Zille, Kollwitz, W. Krain, Schlichter); der Erlös dieser Mappen ging an die Künstlerhilfe und die Kinderheime der IAH.[84] Für diese stellten Dix, Grosz und Käthe Kollwitz bereits 1921 Plakate und Graphiken zu Verfügung.

> «Bei diesen Bildern wird einem ja ganz unheimlich...»
> A. Fedorov-Davydov, 1924

Im Oktober 1924 fand in Moskau die «1. allgemeine deutsche Kunstausstellung» im Historischen Museum statt. Dix war mit *Mädchen am Spiegel* (1921), der Zeichnung *Zwei Opfer des Kapitalismus* und dem Bild *Streichholzhändler I* (1920) vertreten. Diese nach Saratow und Leningrad wandernde Ausstellung vereinigte 126 deutsche Künstler aller Richtungen von Adler bis Schwitters. Neben Bauhaus, Secessionen, Novembergruppe bildete die «Rote Gruppe» einen Hauptakzent, deren Manifest 1924 in der «Roten Fahne» Nr. 57 erschienen war[85]; zu ihr gehörten Karl Witte, Grosz, Heartfield, Schlichter und andere. Dix gehört weder der KPD an noch war er Mitglied dieser Gruppe, doch er stellt in Moskau zusammen mit seinen Freunden Schlichter und Grosz, mit Nagel, Otto Griebel und W. Lachnit aus. Organisiert wurde die Schau von O. Nagel, E. Johansson und Willi Münzenberg von der Künstlerhilfe der IAH.

Der Kritiker A. Behne monierte die bloße Konstatierung des Elends in den Werken der «Roten Gruppe» und beanstandete, daß keine Wege zur neuen Gestaltung des Lebens und der Gesellschaft (in revolutionären Kunstformen) aufgezeigt wurden. Darauf entgegnete ihm John Heartfield mit dem Artikel «Grün oder – Rot?» und forderte statt revolutionärer Formgebung die revolutionäre Funktion von Kunstformen. In den Jahren 1924 bis 1926 wurde damit folgende Diskussion geführt: «Tendenz» oder «Kunst». Für Grosz und Wieland Herzfelde fielen diese Begriffe nicht auseinander («Die Kunst ist in Gefahr»).[86] Beide wehrten sich gegen eine solche Trennung, die von dem Kritiker G. F. Hartlaub («Zynismus als Kunstrichtung?») aufgestellt worden war. Auch P. F. Schmidt griff ein und verteidigte die von ihm so getauften Veristen (Dix, Schlichter u. a.) gegen Hartlaub, den er einen auf ethischem Richterstuhl thronenden Kunstpastor nennt: «Entweder man ist Optimist wie Hartlaub und Schiller und verlangt von ‹dem› Künstler die ‹Erkenntnis der hohen Würde seines Berufenseins› und wird in allen Erscheinungen immer zuerst nach dem Stempel des ‹Wahren, Guten, Schönen› suchen, wo man dann schließlich bei Lessing und seiner Verdammung der holländischen ‹Kotmaler› anlangt – oder man hat den Blick für das Leben und seine Gegenwärtigkeit...»[87] Hinter dieser Unterscheidung «Pessimistische» Sicht des Lebens contra «optimistischer Idealismus» steht der umfassende Pessimismus von Nietzsche, der alle Lebens-Verneiner und -Verächter als falsche Optimisten abgelehnt und die Liebe zum Leben mit all seinen Erscheinungen und all seiner realen Kraft gefordert hatte.

Zur Frage des Realismus: Es ist unsinnig, so unterschiedliche Künstler wie Dix und Schrimpf, Schlichter und Kanoldt, Beckmann und Davringhausen unter dem Sammelbegriff «Neue Sachlichkeit» zu vereinen, wie das Wieland Schmied tat. Das kritisch-deformierende Element bei Dix oder das soziale Engagement bei Schlichter rücken beide weit ab von Schrimpf, Carl Grossberg, Schad und anderen, die einen Teil der Wirklichkeit fade abmalen. Zum Realismus gehört seit Gustave Courbet die Darstellung aktueller Stoffe und eine demokratisch-kritische Einstellung. Von Realisten im 20. Jahrhundert kann also nur bei Künstlern gesprochen werden, die die Wirklichkeit kritisch verdichten, das heißt ihre Subjektivität deutlich einbringen und damit nicht fotografisch getreu arbeiten. So gesehen sind Schrimpf, Kanoldt und Grossberg Vertreter der «Neuen Sachlichkeit», dagegen aber Schlichter, Dix, Beckmann (um 1919–23) und Otto Nagel Realisten.

Franz Roh verwendete 1925 den Terminus «Magischer Realismus», um die Wirklichkeit übersteigernde Elemente der Sachlichen und Realisten (bei A. Räderscheidt, Franz Radziwill) zu definieren; Hartlaub begann 1925 mit seiner Ausstellung in der Kunsthalle Mannheim den Begriff «Neue Sachlichkeit» zu zementieren, während P. F. Schmidt und P. Westheim seit 1924 am klarsten von Veristen sprachen und damit Griebel, Schlichter, Dix und andere meinten. Diese unterscheiden sich also durch ihre sozialkritische Tendenz oder ihren «Pessimismus» (Ablehnung des schönen Scheins) von den Neusachlichen, die keine umstrittenen politischen oder sozialen Stoffe gestalteten und bezeichnenderweise keine Kriegsdarstellungen lieferten.[88] Dix gehört also keineswegs zu den Sachlichen (Unpolitischen) wie Schad, Kanoldt und Schrimpf, aber auch nicht präzise zu den politisch organisierten Veristen wie Schlichter und Grosz

Mädchen am Fenster.
Von Georg Schrimpf, 1923
(Köln, Wallraf-Richartz-
Museum)

(«Rote Gruppe»). Er steht als Anhänger Nietzsches und als stärkste künstlerische Potenz (neben Beckmann) allein zwischen den Fronten. Sein von Nietzsche entlehnter Wille, das Leben unter «dionysischer» Sicht in aller Härte und Nacktheit zu zeigen (Feststellungswille), lehnt den konventionell harmonisierenden Schein des Idealismus als Nihilismus ab und arbeitet in jenem P e s s i m i s m u s, den P. F. Schmidt an ihm rühmte: in den *Kriegskrüppeln* sah dieser zu Recht den Beginn des Dixschen Verismus, mit dem der Gesellschaft, die den Krieg verbrochen hatte, der Spiegel vorgehalten wurde. Realismus in dem Sinne wäre also Wirklichkeitsmalerei (Verismus) in deformierend-verdichtendem Stil mit sozialkritischer Tendenz. Verglichen mit den abstrakt arbeitenden Malern sind Dix und Beckmann beide – auf verschiedene Weise – in jenen Jahren Realisten. Nach dem Realismus befragt, hätte Dix vielleicht mit Friedrich Nietzsches Aphorismus Nr. 57 «An die Realisten» aus der «Fröhlichen Wissenschaft» geantwortet, in dem es unter anderem heißt: «Aber seid nicht auch ihr in eurem entschleiertsten Zustande noch höchst leidenschaftliche und dunkle Wesen... Immer noch tragt ihr die Schätzungen der Dinge mit euch herum!» Da Dix dieses Buch hochlobte, kannte er den Aphorismus «An die Realisten» gewiß; er erwähnt ihn freilich nicht im Gespräch von 1965 mit Maria Wetzel, die zu Dix sagte: «Die Realität wird bei Ihnen überdeutlich... Ihr Realismus ist nicht sachlich... Ich habe in Ihren Bildern nie Sachlichkeit sehen können.» Darauf antwortete Dix: *...sachlich, wer ist das schon? Ich meine, welcher Künstler ist das!? Natürlich, im Gegensatz zum Expressionismus, zum späteren abstrakten Stil, ist die Welt des Gegenständlichen etwas, das dem Tatsächlichen nahegerückt erscheint. Man könnte bei mir damals z. B. die starke Betonung des Stofflichen, des Materiellen sachlich gefunden haben... das Stoffliche.* Maria Wetzel: «Wenn man aber sieht, wie Sie einen Baum zeichnen, dann denkt man doch eher an Grünewald. Es ist doch kein naturwissenschaftlich genau gezeichneter Baum, sondern ein völlig...» Dix: *... phantastischer.*[89] Hier ist auf die Dixsche Malerei um 1933 bis 1939 zu verweisen, bei der man von einem phantastischen Naturalismus sprechen könnte. Für die zwanziger Jahre ist zu sagen: Dix wußte, daß er nicht vollkommen sachlich, gänzlich objektiv war, daß es diese völlige Sachlichkeit wegen der Subjektivität des Schaffenden (siehe Nietzsche) wohl überhaupt nicht geben kann bzw. d a r f. Andererseits hatten Döblin 1909 Sachlichkeit und Beckmann 1912 Raumgefühl und Sachlichkeit als wesentliche Bedingungen einer neuen Kunst gefordert; beide wurden dadurch zu den Begründern der Bewegung zur Sachlichkeit im Schaffen und in der Theorie. Beckmanns Ziel war später auch die sachliche Synthese aus sichtbarer und unsichtbarer Wirklichkeit. Dementsprechend schätzte ihn Hartlaub hoch ein und sah in ihm die Hoffnung der Malerei. Denn als Hartlaub in der Umfrage des «Kunstblattes» von 1922 «Ein neuer Neutralismus?» seine Unterscheidung in einen «rechten» und einen «linken» Flügel der neuen Strömung Realismus/Sachlichkeit traf, hoffte er auf eine Vereinigung dieser beiden Ströme in Beckmann: «... wir warten auf einen zukünftigen, einen erlösten Max Beckmann.»[90]

Hartlaubs idealistische Kritik an den Veristen («Zynismus») teilen wir heute nicht, seine Unterscheidung in zwei Flügel aber trifft zu; es ist eine durchaus politisch gemeinte Differenzierung: «Der eine konservativ bis zum Klassizismus, im Zeitlosen Wurzeln fassend, will nach so viel Verstiegenheit und Chaos das Gesunde, Körper-Plastische in reiner Zeichnung nach der Natur... Der andere, linke Flügel, grell zeitgenössisch, weit weniger kunstgläubig... sucht... das wahre Gesicht unserer Zeit.» Was den Zusammenhang zwischen «Neuer Sachlichkeit» und späterer Nazi-Malerei angeht, so war es jener rechte Flügel, der in die Kunst der NS-Zeit mündete.

Grosz äußerte in der Umfrage, «die ‹Neue Gegenständlichkeit› ist für uns heute wertlos... Es scheint, daß der politischen Reaktion nun auch die geistige folgt.» Er meinte den «rechten» Flügel mit seinem Zurückgehen auf Ingres, den Klassizismus und die Nazarener. Die neutrale Wiedergabe von Gegenständen, die Schad, Viegener, Kanoldt, Mense, Schrimpf und andere nach dem Vorbild der Nazarener anstrebten, ist kein Realismus, ist regressiv. Dem gegenüber steht der sozialkritische Verismus, der ein echter Realismus ist und von Griebel, Schlichter, Grosz, Heartfield und Nagel vertreten wurde. Um 1922 bis 1924 gehört Dix ohne Zweifel zu den Realisten, entwickelt sich jedoch später unter dem Einfluß der Alten Meister und zeitweilig auch nach dem Vorbild Philipp Otto Runges vom kritischen Verismus zu einem altmeisterlich (phantastischen) Naturalismus. Mit der Doktrin der Nazi-Kunst hat diese Entwicklung von Dix nichts zu tun; es gibt lediglich rein formale Parallelen. Vielmehr verstärkte die Verfolgung der Dixschen Kunst in der NS-Zeit die bereits vorhandene Tendenz zum Naturalismus im Stile von Cranach oder Bruegel, zur altmeisterlichen Allegorie.

Um den Gegensatz zwischen seinem Realismus von 1924 und dem der Neusachlichen Maler zu greifen, vergleiche man nur seine Kriegsradierungen mit Gemälden von Kanoldt oder Schrimpf, das *Mädchen am Spiegel* von Dix (1921) mit den Mädchen am Spiegel von Schrimpf. Eine Unterscheidung zwischen kritischem Verismus (Realismus) und unkritischer Sachlichkeit («Neue Sachlichkeit») ist also an der Auswahl der Themen und der Formgebung festzumachen. Dabei kann an die grundlegende Unterscheidung von Jean Paul aus seiner «Vorschule der Ästhetik» (1804) angeknüpft werden [91], der zwischen «Verächtern» und «Nachdruckern» der Wirklichkeit, zwischen «Nihilisten» und «Materialisten» der Nachahmung trennte; erstere leiden unter dem Mangel an Natur, letztere seien «Nachäffer der Natur». Beide erreichen nicht die Lebendige Kunst (geistig-poetische Nachahmung). «Wenn der Nihilist das Besondere in das Allgemeine durchsichtig zerlässet – und der Materialist das Allgemeine in das Besondere versteinert und verknöchert –: so muß die lebendige Poesie eine solche Vereinigung beider verstehen und erreichen, daß jedes Individuum sich in ihr wiederfindet...» In dem Sinne wäre Dix, der sich skeptisch zu Begriffen verhielt und in ihnen *bequeme Fächer* [92] sah, zu denjenigen Gestaltern der Wirklichkeit zu rechnen, die nicht treu kopieren, sondern objektiv (wie Döblin wollte) gestalten, aber zugleich subjektiv durchdringen. Dix unterscheidet sich klar von reiner Nachäffung und bloßer Wiederholung der Objekte. Er hat es selbst 1955 im Kontrast zur Fotografie gesagt: das Foto könne nur einen rein äußerlichen Moment des Menschen geben, die Malerei aber eine S c h a u. Die Fotografie druckt die Natur ab – *das Ganze sehen und bilden, kann nur der Maler* (Dix). Sowohl in seinen Bildnissen als auch in seinen Hauptwerken wie den großen *Triptychen* (*Der Krieg*) gibt Dix mehr als die sachlichen Materialisten der zwanziger Jahre. Dix gestaltet die Synthese von Besonderem und Allgemeinem und erreicht das, was Jean Paul als Grundsatz lebendiger Kunst bezeichnete, nämlich daß «das Abbild mehr als das Urbild enthält... So entsteht dies, weil eine doppelte Natur zugleich nachgeahmt wird, die äußere und die innere, beide ihre Wechselspiegel... Dem Nihilisten mangelt der Stoff und daher die belebte Form; dem Materialisten mangelt belebter Stoff und daher wieder die Form... Der Materialist hat die Erdscholle, kann ihr aber keine lebendige Seele einblasen... Der Nihilist will beseelend blasen, hat aber nicht einmal Scholle...»[93] Damit ist eine grundlegende Unterscheidung getroffen, die sowohl für die Kunst um 1810 als auch für die der zwanziger Jahre des 20. Jahrhunderts (die Abstrakten als die Nihilisten, die Neusachlichen als die Materialisten und Dix, Voll und besonders Beckmann als die Synthese) und für die Kunst der Gegenwart gilt: der sogenannte «Foto-Realismus» hat den Grundsatz, «die Natur getreu zu kopieren» (Jean Paul), gehört also zu den Materialisten und «Nachdruckern» der Wirklichkeit (Duane Hanson, Colville, Chuk Close); dagegen wird verdichtende Kunst des Allgemeinen und Besonderen im Schaffen von Alfred Hrdlicka sichtbar.

Dix hat – wie gesagt – die bequemen Fächer der Begriffe für sich abgelehnt: *Expressionist, Realist usw. Nur stimmt das eben meist nicht... Ich bezeichne überhaupt gar nichts... Die meisten lassen sich durch solch eine Bezeichnung festlegen, – denken, sie müßten ihr ganzes Leben lang, derartig katalogisiert, weiterarbeiten...*[94] Auf dem Höhepunkt der Dixschen Kunst (*Elternbild II; Bildnis Erfurth*) hat auch Beckmann zu dem Problem Realismus–Sachlichkeit in einem wenig beachteten Brief vom 12. März 1926 an Wilhelm Hausenstein Stellung genommen: «Die Gegenständlichkeit in einer neuen Kunstform wieder zur Debatte zu stellen, ist mein Anstoß gewesen... Diesen Anstoß nun in einen neuen lebendigen Strom zu verwandeln, ist meine Lebensarbeit. Inzwischen ist dieses Prinzip vielfach aufgegriffen, leider des öfteren mißverstanden und banalisiert... Anstelle des wesentlichen Gefühls für Raum und Form ist um Berlin eine teils literarische, teils vollkommen phantasielose und glatte Form der Gegenständlichkeit entstanden. Um München gar eine dünne und archaistische, die das magere Lied der Nazarener nochmals ableiert oder die andere, die mittelmäßige Codakfilme in einen trüben Rousseau-Aufguß bringt.»[95] Wichtig ist hier die Trennung in «Nazarener»-Kunst und lebendige Kunst durch Phantasie und Raumgefühl. Beckmann nennt keine Namen; man kann sie sich denken. Er nennt aber auch ausdrücklich nicht seinen Gegenspieler Dix. Denn dieser nahm ebenso für sich in Anspruch, seit 1919 die Gegenständlichkeit wieder eingeführt zu haben – und das zu Recht. Da Beckmann seine Tagebücher seit 1918 bei Hitlers Einmarsch in Holland vernichtet hat, fehlt uns eine wesentliche Quelle zur Kunst des 20. Jahrhunderts und zur Beurteilung von Dix durch Beckmann.

Dix hatte bereits 1913 «altmeisterlich» gestaltet. In den Jahren des kritischen Verismus war ihm die Unzulänglichkeit der lockeren Prima-Malerei ganz bewußt, so daß er für seine Malerei der zwanziger Jahre mehr und mehr die Formen und die Techniken der Alten Meister (Dürer, Cranach,

Selbstporträt mit Muse. 1924
(Museum Hagen)

Baldung Grien, Grünewald) rezipierte, um sie für seine Malerei fruchtbar im Sinne von Anverwandlung einzusetzen. Zur Prima-Malerei sagte er später: *... konnte mich diese Technik auf die Dauer nicht befriedigen: es blieb dabei viel zu viel vom Zufall abhängig. Während der strenge Stil der Malerei die Konzeption des Bildes voraussetzt, von der Idee... ausgeht!... Es ging mir um die Form; es ging nicht nur um die Farbe, sondern darum, daß die Form ganz groß und geschlossen ist. Und bei der Maltechnik, die ich anwandte, liegt die Form als erstes fest. Bis ins Kleinste liegt sie unter den Farbschichten, die ich ganz nach Belieben darüberlegen konnte, heller, dunkler...* Dix entwickelt seine Lasurtechnik um 1924/25 am Vorbild der Alten Meister des 15./16. Jahrhunderts. *Einfach durch das Ansehen der Bilder in der Gemäldegalerie (Dresden) kam man zu der Überlegung: wie ist das gemalt?... Denn mit der üblichen Ölfarbe... war es ausgeschlossen, die Feinheit des Lüsters, das Durchscheinende zu erreichen. Aber es gibt ja Aufzeichnungen, die Aufschluß geben; von Dürer z. B.... Die Untermalung war ganz verschieden... in kalten Farben. Kalt. Grüne Erde zum Beispiel, die in den Übergängen stehenbleibt, so daß dann eben diese zart-blauen, fast violetten Töne entstehen. Denn wenn ich über* *ein Grün ein Rosa ziehe, wird violett daraus. Nun hat man ja Bilder, die hochinteressante Lehrstücke sind wie das Knabenbildnis des Pinturicchio, das ich in Dresden sehr bewundert habe. Dieses Bild hat mich technisch sehr interessiert!*

Um die Form festzulegen, begann Dix immer häufiger, Skizzen und Vorzeichnungen anzufertigen, die einen originalgroßen Karton vorbereiteten, der die Komposition des folgenden Gemäldes detailliert wiedergab: *Einmal begonnen, kann man nicht mehr ausweichen, kann Fehler kaum korrigieren. Das ist die Schwierigkeit. Es kommt hinzu, daß die frühe Festlegung die Ursprünglichkeit behindert... Darum muß die Zeichnung immer schon sehr stark sein. – Das Atmosphärische der impressionistischen Auffassung war nie in meinen Arbeiten. Ich wollte die Form wie Plastik im Bild haben, – so wie sie Mantegna herb und feierlich dem Betrachter gegenüberstellt. Ich wollte sie wie gemeißelt in der Bildfläche dominieren sehen: die Form an sich...[96]... auch die Details der Dinge waren mir damals immens wichtig. Weil sie so viele Hinweise geben, psychologisch aufschlußreich sind. Eine Hand ist nicht nur eine Flosse, die man ohne weitere Mühe hinmalt, – sie entspricht in ihrem Ausdruck vollkommen dem Charakter des Dargestellten.* Auf die Wärme der Farben bei der Lasurtechnik angesprochen: *Das ist, was einen von dieser Lasurmalerei abhalten kann. Die Farben neigen alle zu sehr... zur Wärme. Es wird alles warm und golden.* Und zur Haltbarkeit seiner lasierten Bilder: *Ja, das ist wunderbar. Die halten viel besser als alle Prima-Malerei; die halten ewig.*[97]

Im Dezember 1924 wird Dix in die Berliner Sezession gewählt. Bevor er im Herbst 1925 nach Berlin übersiedelt, entsteht in Düsseldorf das Bildnis *Hugo Erfurth mit Objektiv* (München, Neue Staatsgalerie); im Jahr darauf malt er in Berlin das zweite große Erfurth-Porträt: *Hugo Erfurth mit Hund* (Galerie Nierendorf). Da in der Chronologie jetzt die Jahre der großen Bildnisse folgen, sei hier ein Text von Dix von 1955 zitiert, der zum Porträt und zur Fotografie Stellung nimmt: *Porträtmalen wird heute von den Modernen für eine subalterne künstlerische Beschäftigung gehalten; dabei ist es eine der reizvollsten und schwersten Arbeiten für einen Maler. Vor vielen Jahren sagte Max Liebermann einmal zu mir: «Malen Sie nur viel Porträt! Bei uns Deutschen ist sowieso alles Porträt, was wir malen.» Daß Porträtmalen durch die Fotografie abgelöst worden sei, ist einer der modernistischen, hochmütigen und zugleich naiven Irrtümer. Fotografie kann immer nur einen Moment (und rein äußerlich) aufnehmen, nie aber die spezifische und individuelle Form gestalten: denn letztere hängt von der künstlerischen Kraft und Intuition des Malers ab. So würden hundert Fotos eines Menschen nur hundert verschiedene Momentansichten geben, nie aber das Phänomen als Ganzes. Das Ganze sehen und bilden kann nur der Maler. – Nun ist nicht nur die Form, sondern auch die Farbe von größter Wichtigkeit und ein Mittel, das Individuelle auszudrücken. Jeder Mensch hat seine ganz spezielle Farbe, die sich auf dem ganzen Bild auswirkt. Farbfotografie hat keinen seelischen Ausdruck, sondern ist nur materielle Bestandsaufnahme, und diese ist nicht einmal gut. Jedem guten Bildnis liegt eine Schau zugrunde. Das Wesen jedes Menschen drückt sich in seinem Außen aus; das Außen ist der Ausdruck des Inneren; d. h. Äußeres und Inneres sind identisch. Das geht so weit, daß auch die Gewandfalten, die Haltung des Menschen, seine Hände, seine Ohren dem Maler sofort Aufschluß über das Seelische seines Modells geben; letzteres oft mehr als Augen und Mund. Man stellt sich den Porträtmaler immer als großen Psychologen und Physiognomiker vor, der sofort in jedem Gesicht die verborgensten Tugenden und Laster ablesen könne und dies dann im Bilde darstellt. Das ist literarisch gedacht, denn der Maler wertet nicht, er schaut. Mein Wahlspruch ist: Trau deinen Augen!*[98]

Wie oben erwähnt, hat Dix den Fotografen Erfurth spätestens 1920 in Dresden kennengelernt; die Bekanntschaft entwickelte sich zum Dialog. Von Erfurth existieren mehrere Fotoserien: Dix in dunklem Jackett mit Schlips um 1920/21; Dix mit Fliege um 1922 (u. a. vor dem Gemälde *Mädchenakt* von 1922), gleichzeitig Dix und Martha Koch; eine dritte Serie 1925, daneben Fotos von Nelly und von Frau Dix (allein und mit Nelly). Auch die Eltern von Dix nahm Erfurth auf: um 1925 den Kopf der Mutter, 1926 den sitzenden Vater. Ferner hat Erfurth den Maler im Atelier mit den Schülern (1930) und vor verschiedenen Werken aufgenommen; und Erfurth fotografierte die Hauptwerke von Dix. Eines der letzten Fotos von Dix entstand um 1946: der Maler mit Palette.[99]

Umgekehrt porträtierte Dix den Fotografen seit etwa 1922 in Bleistift und Feder; die Vorstudien zeigen die konzentrierte Vorarbeit zu einem großen Gemälde. 1925 entsteht dann der Karton und das zugehörige Bild *Erfurth mit Objektiv*, der Karton ist im Besitz des Sohnes Gottfried Erfurth (Gaienhofen); das Gemälde wurde 1933 von den Nazis aus den Dresdner Kunstsammlungen entfernt, über einen Privatsammler kam es nach München. Zum zweiten Bildnis, *Erfurth mit Hund*, entstanden im Herbst 1926 (Briefwechsel Erfurth und Dix im Juli) zwei Kartons (beide G. Erfurth).

Während sich Erfurth meist auf das Antlitz des Porträtierten konzentrierte, fällt bei Dix der verdichtende Dialog zwischen dem Gesicht und der Sprache der H ä n d e auf. Die Rolle der Hände hat Dix im eben zitierten Text und im Gespräch mit Maria Wetzel betont. Möglicherweise geht die Hereinnahme der Hände ins Foto-Porträt bei Erfurth auf den Einfluß des Malers zurück. Wie Dix das Verhältnis von Fotografie und Malerei sah, geht klar aus dem Text hervor: der Fotografie bleibt der Moment des Äußeren (wenn auch ein sehr charakteristischer); der Maler aber verdichtet, gibt das Wesen, will *das Ganze* – typische Charaktere unter typischen Umständen (wie Friedrich Engels 1888 Realismus definierte). Eine Untersuchung der Beziehung zwischen Dix und Erfurth könnte auch die

Bildnis Hugo Erfurth mit Objektiv. 1925
(Neue Staatsgalerie, München)

Fragen klären: Ist der realistische Stil von Dix, der 1920 den Expressionismus ablöst, ein «fotografischer» Stil und wie verhält sich die Wirkung der Erfurthschen Fotografie auf Dix zu dem Einfluß, den die Kunst der Alten Meister auf ihn ausübte? Liegt beiden Künstlern eine Disposition zum Porträt zugrunde, die sie zusammenbrachte?

Dix in Berlin
Herbst 1925–1927

Nach zwei Jahren mußte Dix sein Meisterschüler-Atelier in Düsseldorf aufgeben. Seit der Reise ins Rheinland 1921 hatte er Kontakte zu dem Galeristen Karl Nierendorf, den er zeichnete und malte. Nierendorf war es auch, der Dix im Herbst 1925 nach Berlin holte. In der Weltstadt und Kunstmetropole lebt und arbeitet Dix als freier Künstler. Dadurch wird er abhängig von Verkäufen, er arbeitet verstärkt an Porträts, die meistens Aufträge der Dargestellten sind. Dix ist etabliert. Er wird von den Künstlern, Literaten und Galeristen anerkannt und gilt als der große Bürgerschreck. Sich von Dix malen zu lassen, ist mit einem Hauch Sensation verbunden.

Engere Kontakte hält Dix zu Max Slevogt, der ihn im Prozeß um das *Mädchen am Spiegel* (März–Juni 1923) in Berlin mit einem Gutachten unterstützt hatte. Den Verleger und Galeristen I. B. Neumann kannte er auch schon länger; Dix zeichnete ihn 1922. Als er nach Berlin übersiedelt, ist Neumann jedoch bereits in die USA ausgewandert, um in New York den «Art Circle» zu gründen. Zur Frage, ob sich Dix und Beckmann in den Jahren zwischen 1922 und 1929 (Beckmann-Ausstellung bei Flechtheim in Berlin) über Neumann kennengelernt haben, gibt es nur Vermutungen.

Die Berliner Zeit wird die Zeit der großen Bildnisse. Nach den Porträts von *Johanna Ey* (1924) und *Hugo Erfurth* entstanden 1925 noch die der Tänzerin *Anita Berber* (Sammlung Dix), des Dichters *Herbert Eulenberg* und das zweite von *Dr. Fritz Glaser mit seiner Familie* (Dresden). In Berlin porträtiert er die Journalistin *Sylvia von Harden* (Paris, Musée Nationale) und den Kunsthändler *Alfred Flechtheim* (den auch Erfurth fotografierte), sowie den *Dichter Ivar von Lücken*, den Philosophen *Max Scheler* (Universität Köln), *Frau Dix*, den Maler *Jankel Adler*, den Schriftsteller und Kriegsgegner *Hermann Kesser* und andere.

Hinfort bleibt das Porträt neben der großen Figurenkomposition und der seit 1935 hinzukommenden Landschaft die wichtigste Aufgabe von Dix. Aber nicht nur bedeutende Bildnisse wie das Max Schelers entstehen, sondern – festgelegt durch die Bedingungen der Auftraggeber, die sich nicht verzerrt sehen wollen – auch qualitätlose Arbeiten: so 1929 die Bildnisse reicher Danziger Unternehmer, die sogenannten *Danziger Bild-*

*Selbstbildnis,
um 1926
(Berlin [Ost],
Staatliche Museen)*

nisse (*Senator Fuchs, Heinrich Sahm, Gen. Dir. Noé*). Trotz der «phänomenalen Ähnlichkeit» (Löffler) kommen diese Bilder geschmacklich den Auftraggebern derart entgegen, daß Wolfradt sie zu Recht als «bedenklich» einstufte.[100] Später entstanden wieder bedeutende Arbeiten wie *Selbstbildnis, Frauenakte* und Porträts von *Heinrich George* und *Hans T. Richter*.

In Berlin ist Dix als Porträtist berühmt und berüchtigt, ja teilweise sogar gefürchtet. Spätestens im März 1926 hat er durch Nierendorf (im «Neuen Club» – Gesellschaft für Politik, Wissenschaft und Kunst) auch Harry Graf Kessler kennengelernt. Kessler spricht bei einem Dinner am 23. März 1926 mit dem Reichskanzler Dr. Luther, der sich von Dix malen lassen wollte. In sein Tagebuch schreibt er: «Er meinte, ja, überall werde das erzählt, aber die Sache sei noch keineswegs sicher. Wenn er bloß Dr. Luther wäre, würde er sich ohne weiteres von Dix malen lassen. Aber ob dabei der deutsche Reichskanzler herauskomme, sei ihm zweifelhaft.» Außerdem hatte schon Slevogt den Kanzler gemalt.[101] Im «Neuen Club» ließ sich auch Grosz hin und wieder sehen; er arbeitete gerade am Bildnis von Max Herrmann-Neiße. Im Interview von 1965 äußerte Dix grundsätzliche Überlegungen zum Porträt: *Wissen Sie, wenn man jemanden porträtiert, soll man ihn möglichst nicht kennen... Ich will ihn gar nicht kennen, will nur das sehen, was da ist, das Äußere. Das Innere ergibt sich von selbst; es spiegelt sich im Sichtbaren... Der erste Eindruck... der ist der richtige. Wenn ich sein Bild fertig habe, kann ich meine Einstellung eventuell revidieren und sagen: Nun, er ist doch nicht ganz so ein Vieh, wie es schien; oder er ist nicht derart dekadent, oder nicht so habgierig wie Flechtheim damals, nicht so naiv wie die Trillhaases – das ist mir dann egal. Den ersten Eindruck muß ich in seiner Frische erhalten. Geht er verloren, muß ich ihn wiederfinden. An so einem Porträt habe ich ungefähr drei Wochen gearbeitet... Meist habe ich nach dem Modell eine genaue Zeichnung gemacht, dann folgte nach der Übertragung auf die Leinwand die Untermalung, auch nach dem Modell. Ich habe erfahren: vor dem Modell, da sieht man hier noch was und da etwas... allmählich wird alles immer schlechter und viel zu kompliziert, – immer weniger einfach und groß. Infolgedessen kam ich dazu, das seinzulassen, die Arbeit ohne Modell fertigzumachen... Es wird alles zu – zu naturalistisch, verstehen Sie?*[102] Es folgt jene Passage, in der Dix die Möglichkeit, ganz sachlich zu sein, bezweifelte.

Alfred Flechtheim besaß Galerien in Berlin und Düsseldorf, wo Dix ihn kennengelernt hatte. Er förderte die modernen Franzosen und in Berlin Deutsche wie Grosz und Dix. Grosz nahm er im Jahre 1924 nach dem Prozeß wegen der Mappe «Ecce Homo» unter Vertrag.

Über die technische Ausführung des *Flechtheim-Porträts* geben Notizen über Grundierung, Untermalung usw. Auskunft, die auf der Rückseite eines Briefs von Erfurth an Dix vom 25. Juli 1926 stehen.

Gerhart Hauptmann wollte sich auch von Dix malen lassen; Dix lehnte die Bedingungen des Auftraggebers ab. Er wollte Hauptmann nicht heroisiert darstellen.

Am 11. März 1927 kommt das zweite Kind des Ehepaars Dix zur Welt, der erste Sohn Ursus. Die Geburt inspiriert Dix nicht nur zu zahlreichen Zeichnungen, Aquarellen und Gemälden von Ursus und beiden Kindern, sondern auch zu dem *Familienbild* (im Städel, Frankfurt). Es ist das Jahr weiterer bedeutender *Selbstbildnisse*, des Beginns am *Großstadt-Triptychon* und des wichtigen *Porträts Theodor Däublers*, das im September entsteht; es kam in die Berliner Nationalgalerie (heute im Kölner Museum). Dix kannte Däubler seit Mai 1919. Er setzt den Italien und Griechenland zugewandten Poeten («Das Nordlicht») dreiviertelfigurig vor eine antikisierte Architektur (es ist das Gebälk der Dresdner Akademie) und unter einen mediterranen Himmel. Däubler wurde außer von Dix porträtiert von Barlach (Holz-Büste), von Lehmbruck (Zeichnungen, Litho und plastische Büste), Eberhard Viegener, Heinrich Davringhausen und anderen. Das Porträt von Dix ist sicher das bedeutendste.

Das erste Berliner Jahr 1926 bringt Dix wichtige Ausstellungserfolge: Juni/Juli in der Galerie Thannhauser zu München (Katalognummer 16 ist der *Schützengraben*); bei der Internationalen Kunstausstellung Dresden; auf Einladung des sowjetischen Kommissars für Volksbildung, Anatoli W. Lunatscharski, in Moskau und die erste große Einzel-Ausstellung in der Berliner Galerie Neumann-Nierendorf. Der Katalog verzeichnet die die gesamte Graphik bis 1925; das Vorwort schrieb P. F. Schmidt; Texte von André de Ridder und Henri Barbusse sowie Pressestimmen zur Kriegsmappe wurden abgedruckt. P. F. Schmidt nennt Dix einen Protheus, einen «Maler des bitteren und grotesken Ernstes, wie unsere Zeit ihn braucht». Dix ist für ihn der repräsentative Maler des damaligen Deutschland. Karl Nierendorf förderte Dix also in dessen Berliner Jahren entscheidend. Wegen seiner Vorliebe für Dix erhielt der Galerist den Spitznamen «Nierendix».

In den Jahren 1926 und 1927 entstehen zwei Arbeiten, die die Beziehung von Dix zu dem Spanier Goya beleuchten: die Tuschpinselzeichnung eines extrem häßlichen Frauenaktes, *Für Francisco de Goya* (1926, Staatsmuseum Ottawa), die wie eine Travestie auf Goyas berühmte Maya-Bilder erscheint, und das Gemälde *Straßenkampf*, das an Goyas «Die Erschießungen vom 3. Mai 1808» anknüpft; es spiegelt durch die Aufstellung der Reichswehrtruppe die veränderte politische Lage am Ende der zwanziger Jahre wider.

Für Francisco de Goya. 1926 (Ottawa, Staatsmuseum)

*Bildnis Theodor
Däubler. 1927
(Köln, Wallraf-
Richartz-Museum)*

Dix verehrte Maler wie Pinturicchio wegen der Lasurtechnik, Rembrandt wegen der Behandlung des Lichts und seiner Deutung der biblischen Gestalten, Cranach, Dürer und Grünewald wegen der Expressivität ihrer Darstellungen und der Gegenwartsbezogenheit ihrer biblischen Themen – Goya aber ist für Dix vor allem der Entlarver des falschen Scheins klassizistischer Schönheit gewesen. Er war für Dix in zweierlei Hinsicht wichtig: Erstens faszinierten ihn die Inhalte in Goyas graphischem Werk, die Entmenschung des Menschen im Krieg, und zweitens begeisterte ihn die veristische Auffassung im Bildnis. Ferner übernahm Dix die Radiertechnik von Goya, als er in Düsseldorf das Aquatintaverfahren entdeckte, um die Erlebnisse des Kriegs abzubilden. Auch verbal hat sich Dix zu Goya bekannt: er habe sich im Basler Kabinett immer wieder Blätter von Callot, Urs Graf und Goya zeigen lassen.

Wieder in Dresden
Sommer 1927 – April 1933

Schon im September 1926 wurde dem damals fünfunddreißigjährigen Dix von der Dresdner Akademie eine Professur für Malerei (als Nachfolger seines Lehrers Otto Gußmann) angeboten; zunächst lehnte Dix – wie auch Carl Hofer – ab; Nolde, Pechstein und Schmidt-Rottluff wurden «vom Senat der Akademie verworfen» (Löffler).[103] Als Dix sich dann wegen seines Porträts von *Hugo Erfurth mit Hund* in Dresden aufhielt, nahm er die Professur doch an; zum Sommersemester 1927 beginnt er seine Lehrtätigkeit in Dresden. Das Atelier lag im Ostflügel der Akademie an der Brühlschen Terrasse, mit Blick über die Elbe. Dix wohnt Bayreuther Straße 32 am Münchner Platz (heute Allende-Platz). An der Akademie arbeitet er nun neben Feldbauer, Robert Sterl, dem Bildhauer Carl Albiker, Otto Hettner und dem zwielichtigen Richard Müller. In den kommenden Jahren entwickeln sich Freundschaften zu Albiker, dem Baumeister Wilhelm Kreis, zu seinen Schülern Ernst Bursche, Hans Theo Richter, Curt Querner, zu dem Graphiker Josef Hegenbarth und zu dem Kunsthistoriker und späteren Biographen Fritz Löffler. Dix' bevorzugtes Modell wird Käthe König, eine üppige dunkelhaarige Frau, die der Muse im Selbstbildnis von 1924, *Künstler und Muse*, ähnelt (Hagen, Osthaus-Museum). Neben Porträts wie dem von Däubler entstehen in den Dresdner Jahren zwei überragende Hauptwerke: 1927 und 1928 das *Großstadt-Triptychon* (die Kartons und die Tafel in Stuttgart, Galerie der Stadt) und das noch eindrucksvollere *Kriegs-Triptychon* 1929 bis 1932 (Dresden, Neue Meister). Im Gemälde *Großstadt* konfrontiert Dix die nach der Inflation emporgekommenen Neureichen (Mittelbild) mit den Opfern der Gesellschaft auf den Flügeln: rechts die Luxus-Nutten in spukhaftem Licht vor einer irrealen Kulisse; links alte Huren im Hinterhof mit einem Kriegskrüppel (gegen ein Selbstbildnis spricht das Alter) und einem liegenden Betrunkenen. In didaktischer Weise konfrontiert Dix Arm und Reich der «Golden Twenties». Da ein so breit angelegtes Thema auf einer Leinwand allein nicht darstellbar ist, wählt Dix die Form des Triptychons, das in der Geschichte der Kunst den Themen christlicher Malerei zugehörte. Dix ist somit der erste Maler des Realismus, der nach dem Expressionismus diese monumentale Form wieder aufgreift. Nach ihm verwendet auch Beckmann das Triptychon für sein Werk «Abfahrt» (1932).

Dix' Schwager Alexander Wolfgang

Das bedeutendere Werk sollte aber das Triptychon von 1929 bis 1932, *Der Krieg*, werden, das die Hölle des Weltkriegs in umfassender Verdichtung gestaltet, eine Fortführung des *Schützengrabens*, die Summe der Dixschen Kriegserlebnisse.

1927 stellt Dix zusammen mit seinem Kollegen Kurt Günther und mit seinem Schwager Alexander Wolfgang (Ehemann der Schwester Hedwig Dix) im Künstlerbund Thüringen e. V. im September/Oktober in der Städtischen Ausstellungshalle Gera aus. Er zeigt in seiner Heimatstadt 21 Gemälde, darunter das *Bildnis Anita Berber*, das Porträt des *Arztes Mayer-Hermann,* ein *Elternbild, Suleika,* das *Stilleben mit Gerippe*, ferner Aquarelle und Graphiken. Kurt Günther ist mit dem «Radionisten» (1927), einem Selbstbildnis, dem Halbakt «Ludmilla» und dem Bildnis des Malers Alfred Ahner vertreten. Alexander Wolfgang stellt vier Landschaften aus.[104] Qualitativ und quantitativ trägt Dix diese Jahresschau des Künstlerbundes; in der Vaterstadt sollte sein glänzender Aufstieg dokumentiert werden.

Eines der wenigen frühen schriftlichen Zeugnisse datiert aus diesem Jahr; am 3. Dezember 1927 schreibt Dix in der «Berliner Nachtausgabe»: *Ein Schlagwort hat die letzten Jahre hindurch die schaffende Künstlergeneration bewegt. «Schafft neue Ausdrucksformen», lautete die Parole. Ob das aber überhaupt möglich ist, scheint mir zweifelhaft. Wenn man sich vor den Bildern alter Meister aufhält oder sich in das Studium dieser Schöpfun-*

gen vertieft, wird mir der eine oder andere gewiß Recht geben. Jedenfalls liegt für mich das Neue in der Malerei in der Verbreiterung des Stoffgebietes, in einer Steigerung der eben bei den alten Meistern bereits im Kern vorhandenen Ausdrucksformen. Für mich bleibt jedenfalls das Objekt das Primäre, und die Form wird erst durch das Objekt gestaltet. Daher ist mir stets die Frage von größter Bedeutung gewesen, ob ich dem Ding, das ich sehe, möglichst nahekomme, denn wichtiger als das Wie ist mir das Was. Erst aus dem Was entwickelt sich das Wie. [105] Die Parallele zu Döblins Forderung nach Sachlichkeit und Objektivität (1909) liegt auf der Hand: Subjektivität und künstlerische Form entwickeln sich am Objekt – darin sind sie eine Antithese zur abstrakten Malerei.

In den Jahren 1928 bis 1930 beteiligt sich Dix an zahlreichen Ausstellungen wie «Sozialistische Kunst Heute» (Amsterdam 1930), «Frauen in Not» (Berlin 1931 – zusammen mit Grosz, Voll, Käthe Kollwitz u. a.), ferner an Ausstellungen in Venedig, Düsseldorf, New York, Dresden, Essen und Nürnberg, 1929 in Paris, Detroit und Zürich. Zugleich setzten sich Dix' Leistungen in einer Bildaufgabe fort, die 1924 und 1925 erste Höhepunkte zeigte: im *Kinderbild*. Das Thema der Geburt beschäftigte Dix bereits in den mystischen Gemälden und Graphiken um 1919. Der Sohn Ursus war im März 1927 geboren, der zweite Sohn Jan kam am 10. Oktober 1928 zur Welt; Nelly war bereits fünf Jahre alt. Aus Liebe zu den eigenen Kindern und inspiriert durch ihre Lebendigkeit entstehen seit 1927 zahlreiche Kinderbilder: Aquarelle, Graphiken, Zeichnungen und Gemälde. Hervorzuheben sind: *Nelly in Blumen* von 1924 und *Nelly mit Spielzeug* von 1925 (beide Sammlung Martha Dix). In diesen Gemälden von Nelly bewegt sich Dix stilistisch zwischen seiner zunehmenden Altmeister-Rezeption und einer neoromantischen Strömung, die der neuen Sachlichkeit eigen war. Philipp Otto Runge ist hier zu erwähnen, der mit seinen «Hülsenbeckschen Kindern» (1805) Vorbild ist. P. F. Schmidt, der 1923 eine Runge-Monographie herausbrachte, macht Dix mit dem Romantiker noch vertrauter, als er es ohnehin schon war. P. F. Schmidt und Franz Roh haben auf diesen Zusammenhang zwischen Runge und Dix hingewiesen. [106] Um 1928/29 entstanden dann die nächsten großen Kinderbilder, die sich weniger an Runge anlehnen: *Ursus nackt sitzend* (ehemals Sammlung Fohn, heute Staatsgalerie München), *Ursus mit Brummkreisel*, die *Spielenden Kinder* Nelly und Ursus (im Besitz Jan Dix, Öhningen), ferner in zwei Versionen *Nelly mit großer Puppe* und das verschollene *Mutter und Kind*, Frau Dix mit Jan. Kinderdarstellungen ziehen sich durch das gesamte Schaffen: 1933 entsteht die Serie von Silberstift-Zeichnungen der Kinder (Aachen, Sammlung Niescher) und um 1950/51 die Bilder von Bettina, der im November 1950 geborenen Tochter von Nelly.

Aus der Zeit um 1928/29 existiert eine Fülle von Fotos, die den Vater mit seinen drei Kindern zeigen. Mit dem Bild *Mutter und Kind* ließ sich Dix fotografieren und kommentierte für eine Zeitung: *Meine besten Bilder*

Nelly in Blumen. 1924 (Sammlung Martha Dix)

sind die, die ich noch malen werde. Beistehendes Bild «Mutter und Kind»
ist mein letztes ... Da jeder Maler glaubt, daß sein zuletzt geschaffenes Bild
auch sein bestes ist, bitte ich Sie, mir das auch zu glauben.

Mit Paul von Hindenburg war 1925 ein Vertreter der alten Monarchie
und Gegner der Republik Reichspräsident geworden. Die reaktionären
Kräfte, die national und revanchistisch denkenden Kreise, die die Kriegs-
niederlage nicht anerkannten, erstarkten: 1928 wird der General Wilhelm Groener (1918 Nachfolger Ludendorffs) im vierten Kabinett des
Kanzlers Wilhelm Marx Reichswehr-Minister. Nur vorübergehend re-

Otto Dix mit seinen Kindern Ursus, Jan und Nelly, 1929

gierte seit Mai 1928 der SPD-Kanzler Hermann Müller mit einer Zwei-
undvierzig-Prozent-Mehrheit von SPD- und KPD-Mandaten. Im Juni
1929 kommt es zum Pakt der Deutschnationalen (Alfred Hugenberg) mit
den Nazis (Adolf Hitler); im März 1930 stürzt die sozialdemokratische
Regierung. Die Weltwirtschaftskrise von 1929 führt zur weiteren Erstar-
kung der Nationalisten und der rassistischen Nazi-Bewegung. Der Tod
von Außenminister Gustav Stresemann Ende 1929 ist ein Symbol für den
Tod der Republik. Stresemann, 1923 Kanzler, dann Minister des Äußeren
und stark angefeindet, wußte, daß er «der letzte Wall gegen den Faschismus» war. Seine letzte Rede vor dem Völkerbund am 9. September 1929
warnte vor der faschistischen Gefahr und setzte die demokratische Eini-
gung Europas zum Ziel.

In Dresden wird 1928 der Anti-Kriegstag begangen: Eugen Hoffmann
und ein Asso-Kollektiv (Assoziation revolutionärer Künstler Deutschlands) stellen die Imititationen von Toten im Stacheldraht auf den Straßen
auf. Mit dieser «Plastik» ist die ganze Realismus-Problematik heutiger
Werke von John de Andrea, Duane Hanson und Siegfried Neuenhausen
vorweggenommen.

Dix malt in diesen Jahren an seinem wohl wichtigsten Werk und einem
der bedeutendsten Kunstwerke des 20. Jahrhunderts überhaupt, dem
Triptychon *Der Krieg*; es entsteht in Dresden von 1929 bis 1932 (heute
Galerie Neue Meister), eine Mitteltafel, zwei Flügel und eine Predella.
Dix vollendet das Werk, als Beckmann sein «Departure» malt, Ahnun-
gen der bevorstehenden politischen Katastrophe.

Ich habe den Krieg genau studiert. Man muß ihn realistisch darstellen,

damit er auch verstanden wird. *Der Künstler will arbeiten, damit die ande-*
ren sehen, wie so etwas gewesen ist. Ich habe vor allem die grausamen
Folgen des Krieges dargestellt. Ich glaube, kein anderer hat wie ich die
Realität dieses Krieges so gesehen, die Entbehrungen, die Wunden, das
Leid. Ich habe die wahrhaftige Reportage des Krieges gewählt; ich wollte
die zerstörte Erde, die Leichen, die Wunden zeigen...[107]

Dix arbeitet mehr als drei Jahre an seinem Hauptwerk; die ersten Entwürfe entstehen 1929 in Blei und Rötel; ein Aquarell (Dresden, Kabinett) zeigt die gesamte Anlage, wobei die Komposition des linken Flügels, der Mitte und der Predella bereits festgelegt ist. Für den rechten
Flügel entwirft er zunächst Kriegsheimkehrer als Pendant zu den kampf-
bereiten Soldaten des linken Flügels. Eine Rötelzeichnung von 1929 legt
dann Konstruktion und Komposition für den rechten Flügel fest: das

Ursus. 1928
(München,
Neue Staatsgalerie)

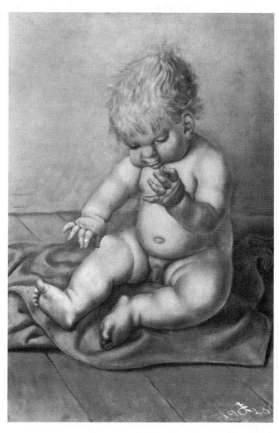

Der Krieg. Triptychon 1929–32 (Dresden, Gemäldegalerie)

Selbstbildnis mit verwundeten Soldaten. 1930 zeichnet Dix die Kartons im Original-Format, wobei zwei Varianten entstehen, von denen er eine nicht verwenden wird; die andere ist Vorstufe zu der hochformatigen Tafel *Grabenkrieg* (Stuttgart; die Kartons in Hamburg KH).[108]

Das Bild entstand zehn Jahre nach dem 1. Weltkrieg. Ich hatte während dieser Jahre viele Studien gemacht, um das Kriegserlebnis künstlerisch zu verarbeiten. 1928 Fühlte ich mich reif, das große Thema anzupacken... In dieser Zeit übrigens propagierten viele Bücher ungehindert in der Weimarer Republik erneut ein Heldentum und einen Heldenbegriff, die in den Schützengräben des 1. Weltkrieges längst ad absurdum geführt worden waren. Die Menschen begannen schon zu vergessen, was für entsetzliches Leid der Krieg ihnen gebracht hatte. Aus dieser Situation heraus entstand das Triptychon... Ich wollte also nicht Angst und Panik auslösen, sondern Wissen um die Furchtbarkeit eines Krieges vermitteln und damit die Kräfte der Abwehr wecken.[109]

Links stellt Dix die Truppe im Morgengrauen dar; durch den Nebel marschieren Soldaten. Gewehrläufe und ein Maschinengewehr ragen in den Himmel, «eine Kolonne, keine Menschen» (Remarque). Die Mitteltafel zeigt eine Todeslandschaft – eine völlig zerschossene Gegend bei Langemarck oder Reims, an der Somme oder bei Verdun. Vergleichbare Zeichnungen zeigten um 1924 Leichen in Trümmern; jetzt verdichtet Dix das Geschehen um ein Vielfaches: Tote und von Treffern zerfetzte Leichen liegen zwischen Trümmern und Erdreich. Die Komposition, die der Betrachter anfangs nicht wahrzunehmen in der Lage ist, weil der Eindruck des Grauens alles verdrängt, ist erstaunlich geschlossen. Dem leichenhaften Grau in der Tiefe steht das Braunrot und das Krapplack-Rot der unteren Teile gegenüber, wo sich Blut und Erdreich mischen. Für den rechten Flügel wählt Dix endgültig eine von Flammen zerfressene und erleuchtete Trichterlandschaft, in der er selbst einen Schwerverletzten aus der Gefahr schleppt. Die Schatten auf den Figuren sind von leuchtendem Blaugrau gegen das Rotorange der Flammen gesetzt; in Gelbgrün die Splitter des Baums und die Leichen am Boden. – Auf der Predella sind nicht, wie gelegentlich – bei Diether Schmidt – geschrieben wird, Gastote zu sehen, da sie nicht tiefblau angelaufen sind. Aber es handelt sich auch nicht um geschichtete Leichen im Massengrab (wie mich Conzelmann und Beck eifrig korrigierten), sondern wohl um totähnlich Schlafende, eng gereiht, Ratten an ihren Füßen. Es sind keine Schwerverletzten, liegen aber wie Tote in enger Kiste (Teil des Unterstands?). Offenbar hat Dix gerade diese Ambivalenz gewollt. Die Todeslandschaft in der Mitte zeigt die Kriegswirklichkeit nach einem Volltreffer. Am hochgebogenen Stahlträger eines Hauses hängt ein Mensch, lange schon verwest – der Tod; er zeigt auf das Chaos hinab und verbindet so die Todeslandschaft mit dem explodierten Unterstand der Soldaten im Vordergrund: fahlweiße Säcke liegen im Zentrum, zerschossene Bäume und

Karton «Grabenkrieg». 1930
(Hamburger Kunsthalle)

fahlweiße Beine eines Toten ragen empor gegen den dunklen Himmel. Der Tote ist völlig durchlöchert vom MG-Feuer. Die erstarrte Hand steht in Blau vor den hellen Säcken. Sein Kopf lagert neben einem Soldaten (rechts unten), dem der Bauch zerfetzt und dessen Kiefer zertrümmert ist. Blut und Gedärme mischen sich mit dem Schlamm der herabrutschenden braunen Erde. Der brandverkohlte Stamm neben dem Wellblech weist nach links hinüber und zugleich hinauf ins Bild. Dort erkennen wir drei tote deutsche Soldaten in verschiedenen Körperhaltungen (die Szene ist also die deutsche Linie): ein Stehender mit Helm und Gasmaske, ein Geneigter mit stark blutenden Wunden und ein Gestürzter, der über dem Stacheldraht hängt. Sein abgerissener Kopf liegt weit entfernt vom

Körper am Boden, umwunden von Draht wie die Dornenkrone Christi. Ist der Stehende mit deutschem Helm auch ein Toter oder irrt er durch gasverseuchtes Grauen? Unter dem Wellblech krallt sich ein Maskierter in die Erde, als ob er herauskriechen wolle. Der Himmel des Mittelbildes wechselt von Hell nach Dunkel und verbindet so höchst wirkungsvoll den rötlichen Morgen der ausrückenden Soldaten auf dem linken Triptychon-Flügel mit dem Dunkel der Brandlandschaft rechts, in der Dix seinen verletzten Kameraden schleppt. In diesem *Selbstbildnis* blickt der Maler voller Qual und Entsetzen auf den Betrachter. Die Komposition greift eine berühmte antike Krieger-Gruppe auf, die sogenannte «Pasquino-Gruppe», Menelaos mit der Leiche des Patroklos. Dix steigt im rechten Flügel wie Menelaos mit dem Verletzten über eine am gelbgrünen Baumstamm liegende Leiche. Das Motiv der Rettung eines Verwundeten durch seinen Kameraden hatten im übrigen bereits Steinlen 1915 und Voll 1920 gestaltet.

Kreuztragung – Kreuzigung – Kreuzabnahme und Grablegung? so hat Lutz Tittel das Werk im Heft der Hamburger Kunsthalle («Zur Sache», 8/1978) überraschend gedeutet, wobei in den Hamburger Kartons noch nicht das unheimliche Motiv des abgerissenen Kopfs mit der Stacheldraht-Krone enthalten war. Das bringt erst die Ausführung in Mischtechnik und Lasuren. Trotz dieses auf Christus als Paradigma Bezug nehmenden Motivs scheint mir das Werk als vierteilige Passion im Sinne der christlichen Ikonographie zu eng gedeutet. Das Mittelbild nimmt keinen Bezug auf die Kreuzigung; und die Entwürfe für den rechten Flügel zeigen die abgekämpfte Truppe. Mir scheint in dem Werk weit eher ein monumentaler Totentanz «anno 1914–18» – ähnlich der Radierung *Totentanz anno 17 Jägertrichter Artois* – verbildlicht. Denn das Gerippe des Verwesenden schwebt über allem und verweist auf den «Kreislauf», auf die Wiederkehr desselben: links gehen sie hinein in den Kampf, auch Dix, der MG-Schütze. In der Mitte ist die Hölle des «Feuers» und das, was danach bleibt; und auf dem rechten Flügel ist gezeigt, wie einige, unter ihnen auch Dix, herauskommen, um erneut in den Kampf ziehen zu müssen. Diese Deutung des Kreislaufs des Totentanzes wird evident, wenn man sieht, daß Dix den Rhythmus der Tageszeiten mitdarstellt: links den Morgen, in der Mitte den hellen Mittag, rechts den Abend und unten die Nacht. Mit der spätgotischen Form des Triptychons kann Dix vier Stationen des Leidens im Kriege verdichtet gestalten, indem er das Allgemeine und das Besondere in einer Synthese vereint. Wer durch die Hölle des Krieges ging, war gezeichnet, ja, er wurde zum Tier unter Tieren. «Der Mensch ist gut»? – Leonhard Franks Novellen von 1918, die wie Dix die Schrecken schildern, tragen sie diesen optimistischen Titel zu Recht? Oder wurde der Mensch, der Befehlende und der Ausführende, durch diesen Krieg nicht unmenschlich, zum Vieh, wie Dix meinte? Statt daß sie sich vereinten, wurden die Völker Europas von ihren Regierungen zum gegenseitigen Mord gehetzt. Das war es, was Dix malen wollte, die

Melancholie.
1930
(1988 Leihgabe
in Stuttgart)

Furchtbarkeit eines Krieges, um *damit Kräfte der Abwehr* zu wecken, zu warnen vor einem nächsten Krieg. Wegen des Anblicks der Getöteten wurde die Rettung eines Kameraden zur Tortur: Dix schleppt sich und den Kameraden aus dem Feuer. Ende seines Kap. 20 schrieb Barbusse: «Mut sage ich zu ihm. Er öffnet die Augen wieder. Ach, antwortet er, nicht mir mußt du das sagen. Guck jene dort, die gehen wieder hin, und auch ihr werdet wieder hin müssen. Es wird weitergehen für euch. Ja! Es gehört wahrlich Kraft dazu, weiterzumachen...!»[110]

Dix stellte das gewaltige Werk – nach eigener Aussage ein klares Anti-Kriegswerk – 1932 in Berlin auf der Herbstausstellung der Preußischen Akademie aus; es erregte ähnliches Aufsehen wie 1923/24 sein *Schützen-graben*, dessen «Fortsetzung» es gewissermaßen ist. Durch die Auslagerung in Dresden (bei Fritz Bienert) kann er es vor dem Zugriff der Nazis schützen und über den Zweiten Weltkrieg und die Bombennächte retten.

103

Selbstbildnis mit Glaskugel. 1931 (Museen der Stadt Köln)

Neben dem *Krieg* entstehen Gemälde wie 1930 *Melancholie* (Stuttgart, Galerie der Stadt), eine Tafel, bei der die altmeisterliche Lasurtechnik (Mischtechnik auf Holz) vollendet angewendet ist, das *Selbstbildnis mit Jan* (wie Christophorus) und die nackte *Schwangere* von 1931, ein Modell der Akademie.

Melancholie – ein Thema Dürers – ist eine Allegorie der Vergänglichkeit (Vanitas) und der Beziehung zwischen Mann und Frau zugleich: der Mann eine Stoffpuppe, die hinausschaut (flammendes Orange: das Abendrot oder eine Explosion?); die Frau zieht ihn weg vom Fenster zu sich, öffnet ihre Beine. Mürrisch deutet sie auf den Totenkopf am Boden, das Symbol der verrinnenden Zeit. Tiefe Schatten vereinheitlichen das Paar; grelles Licht von links reißt es wieder auseinander und bildet am Boden eine Gegen-Figur. Dix hat dieses Gemälde in einer Reihe von Studien und Kartons sorgfältigst vorbereitet. Es ist ein treffendes Beispiel für die von ihm beschriebene altmeisterliche Technik; die Komposition ist mittels geometrischer Figuren durchkonstruiert. Diese Formulierung der Melancholie muß im Zusammenhang mit dem *Vanitas-Bild* von 1932 (blonder Frauenakt) und dem *Stilleben im Atelier* von 1924 gesehen werden. Damals setzt Dix das Vanitas-Thema um in der Schärfe des Gegensatzes eines drallen Frauenaktes zu einer zerfetzten Atelierpuppe.

Das *Selbstbildnis mit Glaskugel* (Köln) ist 1931 zwischen den Arbeiten zum Kriegs-Triptychon entstanden. Indem Dix die *wahrhaftige Reportage des Krieges* gestaltet, wird er hier zum Seher des drohenden Unheils, neuen Wahnsinns und neuer Kriege. Denn die Glaskugel im Bild ist mehr als ein Beispiel hoher künstlerischer Mittel (Lasurtechnik), sie ist Symbol seiner seherischen Gabe: Dix als artifex vates.

Im Jahre 1931 wird Dix zum ordentlichen Mitglied der Preußischen Akademie der Künste gewählt. Im Sommer organisiert Niels von Holst im Kurhaus von Bad Homburg eine Ausstellung, die der Dixschen Kunst auf den Leib geschnitten war: «Deutsche Bildniskunst von Cranach bis Dix 1530–1930» ist der Versuch, den kunstgeschichtlichen Kontext von Dix zu den Alten zu dokumentieren. Neben dem Bildnis *Heinrich Sahm* von Dix wurde das «Selbstbildnis mit Sektglas» von Beckmann gezeigt. Dix hält sich gelegentlich in Berlin auf. Dort hatte er 1926 Heinrich George kennengelernt. 1932 entsteht in Berlin das magische *Bildnis des Schauspielers* und zwar im Habitus seiner Filmrolle als Terje Wiggen, gedreht auf Bornholm (s. Erinnerungen von Berta Drews-George). Hugo

Otto Dix und Heinrich George, 1932. Foto von Hugo Erfurth

Erfurth hat während Dix' Arbeiten am Bildnis in einer Serie von Fotos den Maler und George festgehalten, ferner Fotos von ihnen auf Spaziergängen gemacht: beide mit Western-Hüten.

Nach der Weltwirtschaftskrise und dem Sturz der Regierung Müller im März 1930 war der Faschismus nicht mehr aufzuhalten. Nach Bildung der «Harzburger Front» (Nationale, Stahlhelm, Nazis) und der «Eisernen Front» (SPD, Gewerkschaften) radikalisierte sich die Lage. Hindenburg wird gegen Ernst Thälmann 1932 erneut Präsident; die NSDAP ist die stärkste Partei, was zur Machtergreifung der Nazis im Januar 1933 führt. Nachdem Hindenburg zugestimmt hatte, wird Hitler am 30. Januar Reichskanzler. Am 10. Mai finden in Berlin die Bücherverbrennungen statt. Grosz verläßt Deutschland buchstäblich in letzter Stunde, am 12. Januar, und geht nach New York. Die imperialistische Revanche- und Eroberungspolitik der Nazis, die die «Schmach» des verlorenen Ersten Weltkriegs ungeschehen machen und die «November-Verbrecher» ausmerzen soll, kommt ins Rollen: Hitlers Wahn und der seiner Zu-jubler führt zu einem Krieg, an dem auch Dix als älterer Mann noch teilnehmen muß.

Ab Februar 1933 beginnt eine Welle kulturpolitischen Terrors gegen Nonkonforme, Expressionisten, jüdische Künstler und Publizisten, gegen politische Realisten, gegen Sozialisten und Kommunisten.

Richard Müller (1874–1954), dessen künstlerische Bedeutung gering war, wird Rektor an der Akademie Dresden. Am 6. April 1933 schreibt er an den Reichskommissar Sachsen (M. von Killinger), daß er dem telefonischen Auftrag, Dix sofort von seinem Amt zu entfernen, nachkommen werde, sobald dieser von seinem Aufenthalt in Gera zurück sei.

Es ist logisch, daß die Nazis besonders Grosz und Dix zu verfolgen begannen. «Der Haß der Nationalsozialistischen Kulturfunktionäre entlud sich in Dresden in allen seinen grotesken Formen zuerst gegen Dix» (Löffler). Gegen seine Entlassung erhebt Dix in einem Schreiben vom 8. April Widerspruch. In einem Brief des sächsischen Innenministeriums wird er zurückgewiesen: Dix' Bilder würden «das sittliche Gefühl aufs Schwerste verletzen und damit den sittlichen Wiederaufbau gefährden»; er habe Bilder gemalt, die den Wehrwillen beeinträchtigen. «Danach bieten Sie nicht die Gewähr dafür, daß Sie jederzeit rückhaltlos für den nationalen Staat eintreten.» (v. Killinger)[111]

Lange vor der Aktion «Entartete Kunst» (München 1937, s. S. 115f) kam es im Frühjahr 1933 zu Vorläufer-Ausstellungen über die «Verfallskunst» bzw. die «Repräsentanten des Verfalls» in der Kunst (so Hitler am 1.9.1933 in Nürnberg): in Karlsruhe zeigten die Nazis «Regierungskunst 1918–1933», in Mannheim «Kulturbolschewistische Bilder» (April 1933), in Nürnberg eine «Schreckenskammer», in Chemnitz im Mai 1933 «Kunst, die nicht aus unsrer Seele kam» und im Juni 1933 organisierte Graf Klaus v. Baudissin die Schau «Novembergeist: Kunst im Dienste der Zersetzung» in Stuttgart. Von Dix waren in allen Fällen Arbeiten dabei,

106

meist Radierungen aus *Krieg*; in Nürnberg wurde das Gemälde *Anita Berber* dazugehängt.

In der bedeutenden Kunststadt Dresden formierte sich früh die Gegenbewegung in der nazistischen «Deutschen Kunstgesellschaft» (Bettina Feistel-Rohmeder, vgl. die Texte-Sammlung, 1938). Diese leitete 1933 zusammen mit R. Müller, Walther Gasch und W. Waldapfel, als Künstler alle unbedeutend, aber Mitglieder der Nazi-Kommission, in den Staatlichen Sammlungen, in der Akademie und besonders im Stadtmuseum (Sammlung von Expressionisten und Veristen) ihre «Säuberungen gegen Sumpf und Schmutz» in der «deutschen Kunst» ein. Vor allem die kritischen Realisten galten als «Novembergrößen» und «Kulturbolschewisten»; die Schüler-Ausstellung von Dix im März 1932 wurde von Feistel-Rohmeder als «Dirnenmalerei» und als «Wälzen in Schlamm und Schmutz» diffamiert. – Die drei Akademiker organisierten im Sinne vorheriger Aktionen im September 1933 im Lichthof des Rathauses von Dresden die erste «Entartete Kunst»-Ausstellung. Man sah bisher den Titel als «Spiegelbilder des Verfalls» (R. Müller), aber schon der Nazi-Film von 1933 darüber und die Texte bei Feistel-Rohmeder belegen, daß der Titel «Entartete Kunst» war («Dresdner Nachrichten», 22.9.1933; «Illustrierter Beobachter» 8, 16.12.1933).[112]

Aus dem Stadtmuseum waren von Dix die großen Werke *Kriegskrüppel* (ein Geschenk von 1920) und vor allem die Leinwand *Schützengraben* dort, von Grosz der «Abenteurer», ferner Skulpturen von Hoffmann und Voll. Mitte August 1935 besuchten Hitler und Göring die Dresdner «Schreckenskammer» und gaben Anweisung, daß sie in anderen Städten gezeigt werde («Kölner Illustrierte Zeitung», 17.8.1935). Müller konnte somit seinen alten Neid und Haß auf die Expressionisten und Veristen austoben; für ihn war die neue «Bewegung» von 1933 der bequeme Weg, die Expressionisten und Maler wie Dix auszuschalten; folgerichtig wurde er 1933 Rektor. Die Zeichenklasse der Akademie hatte er seit 1900 geleitet; Grosz nahm schon 1910 bei ihm Unterricht. Müllers Kunst geriet jedoch mehr und mehr ins Abseits, und zwar in einen manisch naturgetreuen, gleichsam fotografischen Stil, eine psychisch labile Mischung aus Idylle und Entsetzen. Das Unbedeutende seiner Arbeiten war offensichtlich. Müller schuf keine innovative Kunst wie Dix, und so kam ihm die Politik der Nazis recht, um sich zu erhöhen. Kurioserweise geriet übrigens Grosz um 1955 wieder in einen ähnlichen Naturalismus («Maus in der Falle»). Der Müller-Nachlaß wurde im Auftrag der Regierung der DDR in den fünfziger Jahren durch Horst Kempe (Galerie Kempe) in Dresden verkauft. Im Westen begann später die Galerie Brockstedt (Hamburg) und Kempe in München (Galerie Saxonia) Müller-Werke aufzukaufen. Man wirbt heute für Müller als «Lehrer von Otto Dix»; das ist falsch. 1974 schrieb Thomas Schröder einen kritischen Artikel über den «Nazi-Müller» und sein Comeback: der «Mäuse-Müller» – ein «per-

Die sieben Todsünden. 1933 (Karlsruhe, Staatliche Kunsthalle)

verser Spießer mit stupenden Kunstfertigkeiten?» Grosz hielt ihn für sadistisch.[113]

Nach der Entlassung Dix' aus der Akademie wurden auch seine Schüler von Müller fortgeschickt. Der Nazi-Rektor ließ außerdem Namen auf der Ehrentafel der Dresdner Akademie löschen.

Im Mai 1933 wird Dix auch von der Preußischen Akademie ausgeschlossen (Briefwechsel im Archiv der Akademie der Künste, Berlin). Dix beginnt eines der bedeutendsten Werke dieser Schaffenszeit, ein symbolisches, durch Nietzsche beeinflußtes Bild mit allegorischen Figuren altmeisterlicher Art: *Die sieben Todsünden* (1977 von der Kunsthalle

Karlsruhe erworben [114]). Das Gemälde ist ein Hauptwerk des altmeisterlichen Naturalismus und der Allegorien mit politisch aktueller Metaphorik. 1938 gibt Dix das Bild zur Ausstellung der Galerie Wolfsberg in Zürich.

Auf dem Karton zum Bild (Galerie der Stadt Stuttgart) lesen wir die begriffliche Auflösung der allegorischen Figuren: demnach ist der «Geiz» die Alte links vorn, die «Unzucht» das in Orange gekleidete Weib, die «Völlerei» der Würstemann mit dem Topfmaul darüber, die «Trägheit des Herzens» der als Tod verkleidete Sensenschwinger mit dem ausgerissenen Herzen; der «Hochmut» ist der Riesenkopf mit erhobener Nase und einem After als Mund, der «Zorn» der gehörnte Teufel und der «Neid» der kleine Gelbgrüne auf dem Rücken der Alten. Den Hitler-Bart dieses Hockenden soll Dix 1958 nochmals verdeutlicht haben. Doch ist er auch auf dem Karton von 1933 zu sehen. An der zerfallenden Mauer links, am Rand der Wüste, steht ein zentrales Motto Nietzsches aus den Dionysos-Dithyramben und aus «Zarathustra»: «Die Wüste wächst, weh dem, der Wüsten birgt.» Wieder zeigt sich Dix weniger als marxistisch bewußter Gesellschaftsanalytiker denn als Nietzscheaner, der warnt.

Die Altmeister-Rezeption ist auf dem Höhepunkt; Dix verarbeitet originell und schöpferisch Anregungen von Grünewald (Isenheimer Altar in Colmar), von Pieter Bruegel (Graphikfolge der Tugenden und Todsünden, 1558) und von Hans Baldung Grien (Hexenbilder). Virtuos ist der Einsatz der Ausdruckskraft des Häßlichen und der Farbwerte für die Symbolik: das blasse grünliche Gelb (das Baldung Grien bevorzugte) für den Neid; das warme Orange für die Wollust; das Braun für die Freßlust; das morbide Violett für den Hochmut; Krapplack für das Maul des Zornes. Das Gemälde wird eine versteckte Deutung des Verhängnisses, das 1933 über Deutschland und Dix hereinbrach. Die Figur des Todes im Zentrum der Komposition bildet ein abgewandeltes Hakenkreuz! Das Häßliche steigert sich nach altmeisterlichem Vorbild zu einer ganz neuen Ausdruckskraft. Gleichzeitig aber entstehen die schönen Silberstift-Zeichnungen seiner Kinder, *Nelly zehn Jahre alt, Ursus* und *Jan Dix*, ferner das *Selbstbildnis* von 1933 in gleicher Technik. Mit dem Silberstift nimmt Dix ein Verfahren auf, das Künstler des 15. Jahrhunderts wie Rogier van der Weyden zu großer Meisterschaft geführt hatten.

Randegg und Hemmenhofen
ab Sommer 1933

Ich habe Landschaften gemalt, das war doch Emigration.
(Dix 1961 zu H. Kinkel)

Bis zum Sommer 1933 bleibt Dix in Dresden, dann zieht er nach Randegg auf das Schlößchen des ehemaligen Mannes seiner Frau, Dr. Hans Koch, der inzwischen mit der Schwester von Martha verheiratet ist.

Nach der Entlassung aus der Akademie schreibt Dix an I. B. Neumann nach New York: *Du wirst wissen, daß ich am 8. April d. J. durch die nationale Regierung entlassen worden bin, ohne Pension. Als Grund wurden meine Kriegsbilder angegeben, die geeignet seien, den Wehrwillen des Volkes zu untergraben. Ich mußte von Dresden fortziehen und wohne jetzt in Randegg bei Singen. Wir leben unter äußerst kümmerlichen Umständen... und ich habe fortwährend Sorgen... Ich muß Dich infolgedessen dringend bitten, mir Geld zu senden. Ich bekomme 550 Dollar von Dir... Du hast ja viel daran verdient und wirst auch nicht wollen, daß ich hier im Elend lebe. Die Verkäufe und Aufträge haben seit nunmehr einem Jahr hier gänzlich aufgehört. Es wird wahrscheinlich auch in den nächsten 10 Jahren nicht besser werden. So war es schon immer – man hatte nie Interesse für die wahren Künstler. Schon um 1500 schrieb – ich glaube es war Wolgemut*[115] *– auf ein Bild «Schri o Kunst und klag dich sehr, din begehrt jetzt niemand mehr»...*

Dix stellt noch Januar/Februar 1934 im Verein Berliner Künstler ein *Stilleben mit Krebsen* (nicht bei Löffler, 1981) aus und als Mitglied des Deutschen Künstlerbundes im Juni 1936 im Hamburger Kunstverein «Malerei und Plastik in Deutschland 1936» ein *Stilleben*; diese Schau wurde aber durch Ziegler nach zehn Tagen geschlossen. Dix erhält wohl 1936 Ausstellungsverbot in Deutschland (nicht schon 1934, wie Löffler schrieb).

In einem zweiten Brief an Neumann schreibt Dix 1934, *in Deutschland werden Künstler nicht mehr ausgestellt, wenn sie nicht der Reichskunstkammer angehören. Ich arbeite und sehe mich nicht um. Ich male Landschaften und an dem großen Selbstbildnis mit Knaben (von 1934)... Wenn Du George Grosz siehst, grüß ihn vielmals von mir und schreib mir mal seine Adresse...*

Dix' Mutter mit ihrer Enkelin Eva. 1935
(Essen, Folkwang-Museum)

Es ist das Jahr, in dem Dix mit seinem Kollegen Franz Lenk (1898–1968) im Hegau eine Serie Landschaften malt; er arbeitet im altmeisterlichen Stil, Lenk neusachlich-romantisch. Im folgenden Januar/ Februar 1935 organisiert die Galerie Nierendorf in Berlin für beide eine Doppelausstellung, was nicht ungewagt war: Dix galt als «entartet», Lenk dagegen war Professor an den Vereinigten Staatsschulen Berlin.[116] Lenk zeigt Aquarelle, Zeichnungen und Ölbilder aus Thüringen, dem Erzgebirge und dem Hegau; Dix stellt Arbeiten aus dem Hegau aus, die Federzeichnung *Die Fichte*, die Silberstiftzeichnungen *Randegg im Schnee, Ivar von Lücken* und *Ursus* sowie die Gemälde *Nelly in Blumen* (1924), das *Selbstbildnis mit Knaben* von 1934, *Der Hohenkrähen, Abziehendes Gewitter*. Eine Berliner Zeitung schrieb: «Dix ist in der Donauschule verankert, dem Cranach der Frühzeit, Altdorfer, Huber . . . Und das Merkwürdigste, die Bilder von Dix wirken dennoch neu, nicht retrospektiv.» Dix schickt an Lenk einen Neujahrsgruß: *Unsere gemeinsame Landschaftsmalerei im Lichte der Kritik Prosit Neujahr alle miteinander Dix.*[117]

*Selbst als Soldat im «Triumph des Todes». 1934/35
(Ausschnitt. Stuttgart, Galerie der Stadt)*

Die Jahre 1934 bis 1936 sind die Jahre der landschaftlichen Schönheit, des großen letzten Kriegsbildes *Flandern* und manch figürlicher Komposition – Bildnis oder Allegorie: *Mutter und Eva* (Karton Privatbesitz München; Gemälde im Folkwang-Museum Essen) zeigt die alte Mutter am Abend vor einem rötlichen Himmel. Baumrinde und Faltenlandschaft des Muttergesichts sind verwandt. Darin liegt die feine Symbolik dieses zutiefst menschlichen Bildes. Die blühende Blume hält das blonde Mädchen Eva, die Tochter der Dix-Schwester Toni Imblon. Dix scheint seine Aggressivität der früheren Jahre verloren zu haben. Auch viele der Landschaften sind von großer Stille. Im *Triumph des Todes* von 1934/35 (erworben 1987 von Stuttgart) bricht das ungestüme Temperament von Dix wieder durch, doch gebändigt in einem Stil, der die allegorischen Figuren zwischen Altdorfer und Cranach vereint – eine Allegorie des Lebens und des Todes, gebildet aus Prototypen: dem Liebespaar, dem Kriegskrüppel in Bruegelscher Manier, dem Kind in Blumen, der alten Frau und dem Soldaten (ein verdecktes Selbstbildnis). Dunkelroter Mantel und Sense des gekrönten Königs überfangen alles, bedrohen die Menschen.

Die wichtigsten altmeisterlichen Landschaften sind 1935 *Randegg im Schnee mit Raben* (Sammlung Dix), das den Jahreszeiten-Bildern von Bruegel nahesteht, und das signifikante Werk *Judenfriedhof in Randegg im Schnee* (Saarlandmuseum Saarbrücken). Im Rückblick von 1965 sagt Dix: *Landschaften habe ich in der Nazizeit massenhaft gemalt. Hier war ja weiter nichts. Also raus in die Landschaft und Bäume gezeichnet... Ich bin verbannt worden in die Landschaft; Landschaft – zuerst war sie ja neu für mich.*[118] Verglichen mit den früheren Beispielen von 1908 bis 1913 zeigen diese Landschaften einen gänzlich anderen Dix, eine enorme Wandlung! Sie wurden jedoch wesentlich mehr als ein Zufall oder ein bloßes Ergebnis der Umgebung. Sie wurden zur Entscheidung für Dix und zum Sprachrohr nicht nur für seine Liebe zur Natur und zur Kunst Dürers, Altdorfers oder Cranachs, sondern vor allem für die Möglichkeit politischer Meta-

Judenfriedhof in Randegg im Schnee. 1935 (Saarbrücken, Saarland-Museum)

Flandern, linker Teil: Soldaten in der Erde. 1934–36
(Berlin [West], Neue Nationalgalerie)

phorik. Dix malt den Friedhof der jüdischen Gemeinde im Winter. Die
Jahreszeit mit Eis und Schnee steht spätestens seit der Dichtung des Vormärz und Heinrich Heines mit ihrer subtilen Metaphorik[119] für die gesellschaftlichen Repressionen: «Deutschland – ein Wintermärchen!» Die Ju-
denverfolgung nahm gerade um 1935 immer deutlichere Formen an. Dix
symbolisiert die Lage der Juden durch das Bild des Friedhofs im Winter.
Ihre Verfolgung erhält damit ein Über-Bild höchster Qualität. Das Gemälde ist Symbol der Zeit.[120]

Weniger aggressiv als 1923 malt Dix 1934 sein letztes großes Kriegsbild,
Flandern (Berlin, Neue Nationalgalerie). Es entstand während des Auf-

stiegs der Nazis, die den nächsten Krieg und die Zerstörung Europas schon vorbereiteten. Angeregt durch die Lektüre von Henri Barbusses «Le Feu», und sicher auch durch Remarques Schilderungen von der Bedeutung der Erde für die Soldaten in seinem Roman «Im Westen nichts Neues», malt Dix eine weite, friedliche Kriegslandschaft: die Gleichgültigkeit der Natur gegenüber dem großen Sterben. Während die Soldaten wie Tiere in ihren Erdlöchern stillhalten oder sterben, stehen Sonne und Mond rot und blaukalt am Himmel. Die Bedeutung der Erde für die Kämpfenden hatte Dix in den Radierungen von 1924 noch nicht derart herausgestellt wie hier und wie es Remarque in seinem XI. Kapitel tut, wenn er schreibt: «Unsere Hände sind Erde, unsere Körper Lehm und unsere Augen Regentümpel.» Doch das Kapitel «Morgengrauen» im Buch von Barbusse steht Dix wie eine Vorlage nahe: «Eine gewaltige Stille. Nicht ein Geräusch... Niemand schießt... Kein Geschoß... Die Menschen, wo sind die Menschen? Allmählich sieht man sie. Nicht weit von uns liegen welche auf der Erde und schlafen. Der Kot bedeckt sie von oben bis unten... Etwas weiter sehe ich andere Soldaten; sie sind in sich zusammengesunken und kleben wie Schnecken an dem runden Hügel, den das Wasser halb aufgesogen hat... Und sie haben die gleiche Farbe wie die Erde... Sind es Deutsche oder Franzosen?... Sind sie tot? Schlafen sie? Man weiß es nicht. Alles hat jetzt ein Ende. Es ist die Stunde der ungeheuren Rast, die epische Pause des Krieges.»[121]

Im Sommer 1936 war der Hausbau der Familie Dix im kleinen Fischerdorf Hemmenhofen (am Untersee) so weit gediehen, daß sie im September 1936 einziehen konnten. Fritz Löffler besucht Dix gemeinsam mit dem Fabrikanten Fritz Bienert vor dem Umzug. Während des Zweiten Weltkriegs lagerte Bienert eine Reihe der bedeutenden Werke von Dix, unter anderen das *Kriegs-Triptychon*, in einem sicheren Depot seiner Mühlenwerke, so daß diese Gemälde die Bilderverbrennungen der Nazis, Krieg und Zerstörung überlebten. Im übrigen sammelten Ida und Fritz Bienert Werke der Dresdner Künstler Felixmüller, Kokoschka und Dix.

Im Jahre 1937 beginnt der große Schlag der Nazis gegen die Kultur des Expressionismus und der Realisten. Alles wird unter die Begriffe «Verfall» und «Novemberverbrecher» subsumiert. Im Auftrag Hitlers ermächtigt Goebbels den Maler Adolf Ziegler, «die Werke der Verfallskunst seit 1910 auf dem Gebiet der Malerei und Bildhauerei zum Zwecke einer Ausstellung auszuwählen und sicherzustellen». Es traf die bedeutendsten Künstler wie Beckmann, Hoetger, Schlemmer, Barlach, Marc, Kandinsky, Lehmbruck, Klee, Kirchner, Kokoschka, Max Ernst, Molzahn, Grosz, Chagall, Freundlich, Marcks, Voll, Schlichter, Eugen Hoffmann, Radziwill, Felixmüller, Nolde. Von Dix werden ca. 260 Werke aus deutschen Sammlungen beschlagnahmt.

Unter dem Schlagwort «Entartete Kunst», das die deutschen Spießer mobilisierte, wurde am 19. Juli 1937 in München (Galeriegebäude) gegenüber dem neu erbauten «Haus der Deutschen Kunst», das die neue Nazi-Malerei zeigte, die Monsterschau eröffnet. Dix steht im Zentrum dieser Kampagne und im Zentrum des Hasses der Nazis; neun Gemälde von ihm sind dabei. Die Schau wanderte im Februar 1938 nach Berlin, im Mai nach Leipzig, im Juni nach Düsseldorf usw. bis 1941 nach Halle; ein Hauptstück war von Dix sein *Schützengraben*, in Düsseldorf Titel No. 13 «Der Krieg». Im «Führer durch die Ausstellung Entartete Kunst» ist er auf Seite 15 unter «Gemalte Wehrsabotage» abgebildet. Das war es! – für die Nazis gab es keine mystische Interpretation der Dixschen Kriegsbilder, sie waren unmöglich geeignet, die deutschen Männer kriegslustig zu stimmen. Dix wird zum «Klassenkampfmaler» stilisiert; seine Werke zu Machwerken im «Dienste der marxistischen Propaganda für die Wehrpflichtverweigerung» erklärt.

Was wollte diese Ausstellung? Sie wollte das gesamte deutsche expressionistische Kulturschaffen, das dem Kaiserreich eine neue Gesellschaft gegenüberstellte, das einen neuen befreiten Menschen suchte und demokratisch-sozialistisch orientiert war, ausmerzen. Dies geschah, indem man die Werke der führenden Künstler, Dichter und Theoretiker dem Volk, das Hitler zujubelte, als «jüdisch» und «bolschewistisch» diffamierte [122] – eine Art der Diskriminierung, die sich in der Adenauer-Ära partiell wiederholte.

Werke von Voll, Beckmann, Klee, Kirchner, Kokoschka und anderen wurden den Arbeiten von Geisteskranken nahegerückt. Für die Künstler war dies verhängnisvoll, es stempelte sie ab, brachte den Verlust von wichtigen Werken und wirtschaftliche Not. Viele verzweifelten, als der deutsche SS-Staat Europa in Besitz nahm: Heinrich Mann, Walter Hasenclever, Ernst Toller, Carl Einstein.

Beckmann verließ Deutschland 1937. Dix blieb, obwohl sich der größte Haß auf seine Kriegsbilder richtete. Der *Schützengraben* wurde kommentiert: «Städtisches Museum Dresden – Gezahlt wurden hierfür RM 10000 – davon 5000 Stadtbetrag – Bezahlt von den Steuergroschen des arbeitenden deutschen Volkes – Zeugnis der Zersetzung des Wehrwillens des deutschen Volkes.» Ferner waren von Dix ausgestellt bzw. beschlagnahmt: die *Sonnenlandschaft* (1913), die *Kriegskrüppel* aus Dresden, die *Witwe* 1925 aus Mannheim, die Porträts Krall, Radziwill und Eulenberg, *Arbeiter vor Fabrik* von 1921, *Mutter mit Kind* 1924 aus Königsberg, die Mappe *Krieg* von 1924, das Litho *Leonie* und andere. Den *Schützengraben* kaufte im Januar 1940 der Händler Boehmer; die *Kriegskrüppel* wurden wohl verbrannt (?). Hitler hatte vor den Dresdner Bildern von Dix bei einem Besuch 1935 dort (s. S. 107) gesagt: «Es ist schade, daß man diese Leute nicht einsperren kann.» [123]

Da Dix in Deutschland nicht mehr ausstellen kann, versucht er dies verstärkt im Ausland. 1938 zeigt die Galerie Wolfsberg in Zürich – zur gleichen Zeit, als Beckmann in Winterthur ausstellt – einen Querschnitt

Gemalte Wehrsabotage

des Malers Otto Dix

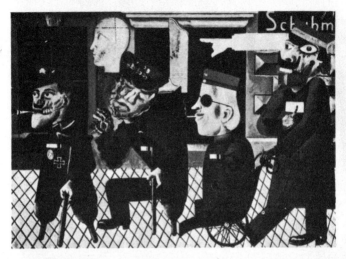

«Gemalte Wehrsabotage» aus dem Katalog «Entartete Kunst», 1937

durch Dix' Schaffen: ein Bildnis, die Tafel der *Sieben Todsünden, Flandern* und einen *Christophorus*. Peter Thoene stellt in der Zeitschrift «Das Werk» einen Vergleich auf von Dix und Beckmann unter den Begriffen

Heiliger Christophorus. Karton, 1938 (Dresden, Kupferstich-Kabinett)

soziale und transzendentale Sachlichkeit im Rahmen seiner «Bemerkungen über die deutsche Malerei der Gegenwart» und erkennt in den beiden die wichtigsten Vertreter der deutschen Malerei dieses Zeitraums. Seine begriffliche Trennung hat einen signifikanten Unterschied benannt.

In dieser Zeit malt Dix sowohl reine Landschaften im Stil zwischen den Altdeutschen und Bruegel (*Randegg, Elbsandsteingebirge, Große Lärche*) als auch figürliche Bilder, die Landschaft mit legendären Gestalten verbinden; christliche Themen greift er auf, jedoch nicht aus Gläubigkeit im Sinne der Kirche, sondern um Zeitbezüge herzustellen. Die Legende des Christophorus, des riesigen Christus-Trägers, gehörte im 15. Jahrhundert zu denjenigen Themen der christlichen Stoffe, die die Ausbildung der Landschaft begünstigten. Für Dix wurde die Gestalt des Riesen, der das Jesuskind durch unruhiges Wasser zum rettenden Ufer trägt, ein Motiv mit symbolischem Gehalt: «Zuversicht auf den unausbleiblichen Sieg über das Böse» (Werner Schmidt).[124] Das erste Aquarell

(Museum Köln) ist 1937 datiert, die Silberstiftzeichnung in Dresden 1938. Bis 1944, also kurz vor dem Wechsel zur Prima-Malerei, entstehen sechs Bilder mit dem *Heiligen Christophorus*, ferner Skizzen und Kartons. W. Schmidt hat 1970 in seiner Ausstellung «Dialoge» den Karton zum *Christophorus II* (Karton in Dresden; Gemälde in Rom, Vatikan) einem Holzschnitt Cranachs von 1509 als nächstes Vorbild gegenübergestellt. Die Christophorus-Gemälde, mögen sie auch kitschige Züge tragen, zeigen nicht etwa einen sentimental-christlichen Dix. Sie verkörpern vielmehr die verbliebene Möglichkeit, während der Nazi-Zeit eine verschlüsselte Aussage des «Widerstands» zu realisieren: die Hoffnung auf das

Heiliger Christophorus
von Lucas Cranach d. Ä.
Holzschnitt, 1509

Überstehen. «Welches Thema hätte zwischen 1933 und 1945 aktueller sein können» (Löffler)! Symbolik, Allegorie mit Zeitbezug (wie bei Bruegel) und politische Metaphorik finden sich bei Dix also in *Sieben Todsünden*, dem *Judenfriedhof im Schnee,* den *Christophorus-Bildern* und denen der *Versuchung des hl. Antonius.*

An Ernst Bursche (Dresden) schreibt Dix im Juni 1939: *Ich mache meistens Landschaft, viel Baum- und Häuserstudien, um vom «Motiv» unabhängig zu werden und die Landschaft frei zu erfinden. Denn es ist selten, daß man ein Motiv so vorfindet, wie man's beim Malen brauchen kann. Es ist ja notwendig, daß man viel Überschneidungen und Gegensätze schafft, die das Bild erst lebendig machen. Ich scheue mich heute nicht, die Ufer des Bodensees mit Felsen und Gebirgen zu versehen, die es hier gar nicht geben kann. Aber schließlich ist der künstlerische Ausdruck das Wesentliche, nicht die «Naturwahrheit» (die der Spießer und Schulmeister erfunden hat). Anbei eine Reproduktion von Grosz. Es ist mir zu illustrativ...*[125]

Seit dieser Zeit plant Dix eine große Serie von Gemälden der sieben Todsünden auf sieben Holztafeln, also Einzelbilder wie Pieter Bruegels Kupferstiche. Das Gemälde *Lot und seine Töchter* (Sammlung Niescher, Aachen) ist das erste dieser Folge, nämlich die Darstellung der Luxuria als Folge der Trunksucht (wie in Allegorien der Bruegel-Zeit). Die Serie wurde von Dix nicht konsequent durchgeführt; 1946 entsteht noch im gewandelten Stil *David spielt vor Saul* als Verbildlichung des Neides. Das Lot-Bild ist ein Beispiel dafür, daß Dix in der Nazi-Zeit biblische Stoffe wählt (1939), um aktuelle Symbole zu setzen. Löffler schreibt dazu: «Die bittere Wahrheit liegt im Hintergrund. Während die Welt bereits zu brennen begann, wurde auf der vorderen Bildbühne noch in falschen Kostümen ein noch falscheres Spiel agiert, das bestimmt war, den Zuschauer... zu täuschen.»[126] Das brennende Gomorra im Hintergrund ist Dresden! Dix nimmt schon 1939 die furchtbare Bombardierung und Zerstörung der Stadt am 13. Februar 1945 durch alliierte Flieger visionär vorweg: deutlich erkennt man im Flammenchaos die Hofkirche, die Kuppel der Frauenkirche, die Brühlsche Terrasse.

In ihrer barbarischen Aktion «Entartete Kunst» trugen die Nazis insgesamt etwa 5000 Gemälde und Plastiken und annähernd 12000 Blätter zusammen. Im Mai 1938 bildete sich eine Kommission zur «Verwertung der beschlagnahmten Werke». Ein Teil wurde ins Ausland verkauft, einen Teil eigneten sich Leute wie Göring an; Spitzenwerke wurden zur Versteigerung in die Schweiz gegeben (Galerie Th. Fischer, Luzern); etwa ein Viertel lagerte dann in Berlin in einem Depot in der Köpenicker Straße. Daraufhin bot der ehemalige Kunstkritiker und Ministerialrat Dr. Franz Hofmann Goebbels an, diese beschlagnahmten Werke «in einer symbolischen propagandistischen Handlung auf dem Scheiterhaufen zu verbrennen»; er wollte eine «gepfefferte Leichenrede» dazu halten. Am 20. März 1939 werden im Hof der Feuerwache Berlin 1004 Bilder und Plastiken und 3825 Zeichnungen und Graphiken verbrannt. Damit war eine der unglaublichsten «Säuberungsaktionen» beendet (Hildegard Brenner).[127] Die Nazis lassen 1939 auf zwei Auktionen im Juni und August 125 Hauptwerke des Expressionismus und Realismus bei der Galerie Fischer (Luzern) versteigern. Von Dix sind dabei: die *Nietzsche-Büste* von 1912, die *Winterlandschaft mit Sonne und Raben* von 1913; das *Elternbild I* aus dem Kölner Museum, das *Porträt Max Schelers* und das *Däublers*.[128] Neben Arbeiten von Dix kommen Werke von Picasso, Beckmann, Gauguin, van Gogh, Klee, Lehmbruck, Mataré, Archipenko, Pechstein, Barlach, Corinth und Grosz unter den Hammer. Der Sammler Emanuel Fohn kaufte unter anderem Arbeiten von Dix und bewahrte die Werke (*Bildnis Hugo Erfurth*, 1925; *Ursus nackt*, 1928) in Italien auf, um sie nach dem Zweiten Weltkrieg der Neuen Staatsgalerie München zu schenken.

Als im September 1939 im Münchner Bürgerbräu ein Attentat auf Hitler verübt wird, verhaftet man Dix in Dresden. Er verbringt eine Woche im Gefängnis, da man ihn mit den Vorfällen in München in Zusammenhang zu bringen versucht, um ihn verfolgen zu können. In Hemmenhofen findet eine Haussuchung statt; aber wichtige Werke, die die Nazis als Verfallskunst refüsiert hätten, befanden sich im Atelier in Dresden (Kesseldorfer Straße) und im Mühlenwerk Fritz Bienerts.[129]

Im Schaffen von Dix folgen verschiedene großartige Landschaften in altmeisterlicher Technik, die sich dem Stil Pieter Bruegels nähern: *Aufbrechendes Eis bei Steckborn* (1940), der Blick von Hemmenhofen über den zugefrorenen Bodensee mit Gewitter bei Nacht *Der goldene See* (1942), die *Landschaft mit Kornwagen* (1942) und ein öder Strand *Vorfrühling am See* (1942); die Tafeln befinden sich in der Sammlung von Martha Dix (heute Dix-Stiftung, Vaduz).

Am 12. März 1941 schreibt Dix an Franz Lenk: *Lieber Lenk, als ich hier ankam, empfing mich ein herzlicher Gruß der Reichskulturkammer, zwei Eilbriefe. Binnen fünf Tagen sämtliche Fotos der Bilder von 1940 zu senden, dazu «einige Originale». Ich habe jedenfalls zuerst mal die Fotos geschickt. Nun höre ich, daß überall in Deutschland ein neuer Bildersturm eingesetzt hat. In München wurden bei einem Kunsthändler neun Bilder von Nolde, im Rheinland unzählige Bilder verschiedener Maler beschlagnahmt. Hoffentlich beschlagnahmt man nicht auch bei mir... Was soll man da machen? Es ist schade, daß Sie gar nichts tun können – es wäre wirklich mal an der Zeit, daß man mich in Ruhe läßt... mit herzlichen Grüßen Ihr Dix.*[130] Der Reichsaußenminister Joachim von Ribbentrop schätzte die Kunst von Lenk und erteilte ihm um 1940 Aufträge für das Außenministerium und für sich selbst. In einem Brief vom September 1942 überliefert Lenk die interessante Tatsache, daß Ribbentrop von Dix, dem «entarteten», porträtiert zu werden wünscht; dies sei aber «für Dix wie für den Auftraggeber gleichermaßen gefährlich» (Lenk). Dix hat den Auftrag nicht übernommen; er war ihm zu riskant.

Dix nach 1945 in Ost und West

Ich bin durch meine Bilder beim Spießer unbeliebt genug,
und der größte Ärger der Nazis war, daß man mir das Talent
nicht absprechen konnte. Es kommt nicht darauf an, wenn
ich durch ihre Veröffentlichung noch unbeliebter werde.
(Otto Dix 1948 an eine Zeitung)

Als am 13. Februar 1945 anglo-amerikanische Bomber Dresden durch
Spreng- und Brandbomben zerstören, lebt Dix in Hemmenhofen.

Im Februar wird Dix zum Volkssturm eingezogen; der vierundfünf-
zigjährige Maler soll wieder kämpfen. Im Elsaß gerät er in französische
Gefangenschaft (Colmar). In Erinnerung daran entsteht 1947 das *Selbstbildnis als Gefangener*, eine Kreidezeichnung und ein Gemälde.

In dieser Zeit ist ein stilistischer Umbruch vollzogen, der auffällt: Dix
wendet sich ab von der altmeisterlichen Lasurtechnik und beginnt alla
prima zu malen, also in der Technik, die viel dem Zufall überläßt. Der
Wechsel zu dieser neuen Technik zeichnete sich bereits 1942 ab in dem
eindrucksvollen *Selbstbildnis vor rotem Vorhang* (heute Stuttgart). Im
September 1944 schreibt er darüber an Ernst Bursche; später sagte Dix,
der Stilumbruch habe sich nach seiner Gefangenschaft endgültig vollzogen.[131]

Für August 1946 veranstalteten das Land Sachsen, die Stadt Dresden
und der «Kulturbund zur demokratischen Erneuerung Deutschlands» die
«Allgemeine deutsche Kunstausstellung» in Dresden – ein ganzdeutsches
Projekt mit 250 Künstlern aus allen Besatzungszonen. Die Jury zeigte in
ihren polaren Vertretern die künftige Teilung der Ideologie West und Ost:
Grohmann, der später die dekorativen Abstrakten präferieren wird,
Hans Grundig, der die DDR-Malerei mitbegründen sollte. Dazwischen
standen die Expressionisten Pechstein und Hofer. Von Dix sah man das
große Kriegs-Triptychon als Mahnung zum Frieden; von Hans Grundig
die Tafel «Das Tausendjährige Reich» als Mahnung zum Antifaschismus.
Klee, Beckmann, Hofer, Kirchner, Kokoschka überragten die Neu-Ab-
strakten Thiemann und Winter; in der Plastik zeigte man Werke von
Lehmbruck, Kollwitz, Scheibe, Marcks, Albiker, Volwahsen und Grzimek.

Als die Kunsthalle Gera im September/Oktober 1947 eine Ausstellung organiert («Geraer Maler stellen zur Schau»), beteiligt sich Dix zusammen mit seinem Schwager Alexander Wolfgang, mit dem alten Freund Kurt Günther, ferner Hermann Paschold, Rudolf Schäfer, Paul Neidhardt und Hans Rudolph. Dix zeigt einen *Christophorus*, den *Sommertag*, das alte *Doppelbildnis mit Günther*, die Bildniszeichnung des Geologen Rudolf Hundt (Gera, Privatbesitz) und Aquarelle. Die Ausstellungsleitung hatte die Künstler befragt; Dix antwortet: *Ich schrieb Ihnen schon neulich, daß ich nicht gewillt bin, meine Bilder «zur Diskussion» zu stellen. Wir haben nun in Deutschland jahrelang die Stimme des Volkes über künstlerische Dinge gehört, und wie wenig ist über das wahre Wesen der Kunst dabei herausgekommen. Diskussionen laufen darauf hinaus, daß jeder Spießbürger und jeder «Blinde» seine kleinen Wünsche anbringen möchte. Jeder glaubt zu wissen, wie Kunst sein sollte. Die wenigsten haben aber den Sinn, der zum Erleben von Malerei gehört, nämlich den Augensinn. Und zwar einen Augensinn, der Farben und Formen als lebendige Wirklichkeiten im Bilde sieht. Denn nicht die Gegenstände, sondern die persönliche Aussage des Künstlers über die Gegenstände ist wichtig im Bild. Also nicht das Was, sondern das Wie. Nicht laute Diskussionen, sondern schweigende Bescheidenheit ist das erste, was der*

Selbstbildnis als Kriegsgefangener. 1947
(Galerie der Stadt Stuttgart)

Künstler vom Betrachter verlangt. Denn das, was am Kunstwerk erklärbar ist, ist wenig, das Wesentliche an ihm ist nicht erklärbar, sondern allein schaubar. Dieser aufschlußreiche Text, ein Brief an das Kulturamt Gera[132], ist lange nicht wieder veröffentlicht worden. Da er die Stimme des Volkes in Kunstfragen ablehnt, ist er in der DDR auch nicht aufgegriffen worden, auch nicht in der Textsammlung von Diether Schmidt. Die Meinung über Gegenstand und Form, in der allein die individuelle Aussage liegt, ist eine Schlüsselaussage von Dix; sie steht nur scheinbar im Widerspruch zu dem Text von 1927, in dem Dix das Was betonte.

Kreuzigung Christi. 1946

Denn liest man den älteren Text genau, so endet er mit der Perspektive, daß sich aus dem Was das Wie entwickeln muß – daß dies allein entscheidend sei (da sonst Werke mit gleichen Gegenständen gänzlich gleich aussehen).

In einem Brief an den alten Freund Paul Westheim (in Mexiko) vom 15. Mai 1947 lesen wir unter anderem:

Ich freue mich, daß Sie mein Schaffen nicht vergessen haben und immer noch schätzen. Unterdessen ist meine Entwicklung seit 1943 glaub ich doch nicht mehr unter dem ja auch allzu engen Begriff «neue Sachlichkeit» einzuordnen. Mein Stil ist lockerer geworden u. die Bilder haben eine größere Farbigkeit... Nierendorf ist in New York; wo sich Ihr Bild «An die Schönheit» befindet, weiß ich leider auch nicht... Von den mexikanischen Künstlern ist mir nur Diego Ribera ein Begriff; falls Sie ihn sehen sollten, grüßen Sie ihn brüderlich von mir. (Westheim-Nachlaß)

Dix erhält Anfang 1947 Angebote für Professuren an Kunstakademien in Dresden (durch Will Grohmann) und Berlin (durch Heinrich Ehmsen); es kam aber nicht zu einer Berufung. Auch der Plan einer Professur an der Akademie in Düsseldorf 1948 wurde vereitelt: man legte der Kultusministerin Fotos von Dix-Werken vor, «und der Berufung wurde nicht stattgegeben» (Löffler, 1977). – Dix besucht erstmals wieder Dresden und schreibt in der «Täglichen Rundschau» (vom 16. November 1947):

Das Wiedersehen mit meiner alten Wirkungsstätte Dresden hat mich erschüttert. Diese Trümmerwelt, die an Pompeji erinnert, würde mich völlig deprimiert haben, hätte ich nicht... gesehen, welch reger und nimmermüder Geist und Aufbauwille hier am Werk sind... Über die künftige Entwicklung der Kunst kann man heute, wo noch alles im Fluß ist, nichts Endgültiges sagen. Ich halte mich nicht an eine bestimmte Schule oder Richtung. Intensiver Ausdruck ist für mich alles... Farbe und Form allein (spielt auf die Abstrakten an) *können nicht das fehlende Erleben und die fehlende Ergriffenheit ersetzen. Ich bin bemüht, in meinen Bildern zur Sinngebung unserer Zeit zu gelangen, denn ich glaube, ein Bild muß vor allem einen Inhalt, ein Thema ansprechen. Malen ist ein Versuch, Ordnung zu schaffen. Kunst ist für mich Bannung.*[133] Als Künstler der Welt Spiegel vorzuhalten ist Widerspiegelung, Reportage, aber noch nicht Sinngebung. Der Dix der zwanziger Jahre war, so gesehen, ein «Eulenspiegel»; der Dix nach 1933 hat Sinnbilder gestaltet; der Dix nach 1945 sucht eine Sinngebung in neuen Themen und Formen: in der Idee des Friedens, in der Welt des Kindes, im Porträt, in der Darstellung des Christuslebens, in der Schönheit der Natur.

Erste Skizzen zur neuen Darstellung der Leiden Christi als übergeschichtliches Paradigma und als Symbol der eigenen Zeit entstehen in Blei und Rötel seit 1940 bis 1943, und zwar die Motive *Kreuztragung, Kreuzigung* und *Beweinung.* Im gewandelten Stil der pastosen Öltechnik malt Dix dann seit 1946 *David vor Saul,* ferner den leidenden *Hiob*, die *Kreuztragung*, das *Ecce Homo,* die *Kreuzigung Christi* (eine Fassung im Kunst-

Dix' Mutter im Alter von 85 Jahren.
Bleistiftzeichnung um 1948

haus Lempertz, Köln 1979) und die *Auferstehung*. Als Maria Wetzel ihn 1965 fragte, ob er religiöse Themen besonders nach den Kriegen gemalt habe, antwortet Dix: *Waren schon eher da; schon ganz früh – 1912/13 schon. Das sind Motive, die eben derart aktuell sind, fortwährend aktuell, daß man sie nicht übersehen kann. Hier steht noch meine Grablegung... aus dem Jahre 1912...* Was Dix fesselte war die biblische Geschichte und daran wiederum das Bildhafte – *das andere, das «Moralische», das hat mich gar nicht interessiert*[134]. In der Gestalt Christi sah Dix zuerst das Leiden und den Kreuzestod und diesen wiederum ganz *realistisch*. Während der Gespräche von 1963, die als Schallplatte erschienen, wirft er der Kirche vor, Leiden, Häßlichkeit und Tod Christi zu verkleistern, zu *verschönlichen*, um es *irgendwie verdaulich* zu machen; Christus würde wie ein Ballettänzer, schön und poliert, am Kreuz dargestellt. *Und wenn man*

*Bildnis der Mutter in ihrem 63. Lebensjahr. Kohlezeichnung
von Albrecht Dürer, 1514 (Berlin, Kupferstichkabinett)*

*dann 'ne genaue Beschreibung liest, wie ein Kreuzestod ist... so was Gräß-
liches, so etwas Fürchterliches. Wie die Glieder anschwellen... wie der
Atemnot kriegt, wie das Gesicht sich verfärbt; wie der einen gräßlichen,
einen ganz gräßlichen Tod stirbt. Da hängt man den als wunderschönen
Knaben da dran. Also das ist alles Schwindel... anstatt alles ganz genau,
ganz realistisch genau zu sehen, um das Wunder der Auferstehung noch viel
größer zu machen. Nein, da mußte man ihn als Schönling da dranhängen.
Das ist... was ich ablehne... die Kirche will das, aber ich lehn das ab.*

Dementsprechend schätzte Dix lebenslang den «Realismus» in der
Darstellung des Gekreuzigten von Matthias Grünewald (Colmar, Isenheimer Altar) und das Kreuzigungsbild von Hans Baldung Grien im Münster zu Freiburg i. B. Doch hat er den Gekreuzigten nicht in den Jahren
seiner altmeisterlichen Lasurtechnik dargestellt, sondern erst 1946 in pa-

127

stoser Primamalerei, so daß das Ergebnis weit weniger Grünewald nahe-
kommt als dem deutschen Expressionismus eines Nolde und Pechstein.

Der Tod des Vaters Dix (1942) fand keinen Niederschlag in der Kunst des Sohnes. Als die Mutter im August 1953 stirbt, zeichnet Dix sie auf dem Totenbett: *Meine Mutter auf dem Totenbett* und gibt eine Lithographie der Aufgebahrten heraus. Die Mutter hatte zu ihrem Ältesten eine derart intensive Beziehung und Liebe, die erwidert wurde, daß Dix sie weit öfters darstellte als den Vater.

Schon als die Mutter das hohe Alter von 86 Jahren erreicht hatte, zeichnete Dix sie mehrmals. Als typisch deutscher Graphiker, für den die Linie ein elementares Ausdrucksmittel ist, steht Dix 1949 wieder dem veristischen Stil seines großen Vorbildes Dürer unmittelbar nahe (Dürers Mutter, Zeichnung von 1514).

Auf der anspruchsvollen, im Sommer 1955 zum erstenmal organisierten Schau moderner Kunst, der documenta I in Kassel, wurden neben Klee, Beckmann, Kirchner und Lehmbruck von Dix das *Elternbild II* und das *Bildnis Däublers* gezeigt. Die Organisatoren Arnold Bode, Werner Haftmann, A. Hentzen und Kurt Martin wollten hier einen Überblick über die Malerei des 20. Jahrhunderts geben. Schon bei der documenta II 1959, wo Will Grohmann und H. von Buttlar in den Arbeitsrat kamen, verschob sich das Interesse deutlich zugunsten der Abstrakten: Anklage des Krieges, antifaschistische Kunst, sozialkritische und politische Inhalte können im abstrakten Stil und seinen Varianten nicht vermittelt werden. Deshalb wurde die Abstrakte öffentlich gefördert und nicht eine Kunst, die sich mit Krieg und Faschismus auseinandersetzte (wie z. B. Alfred Hrdlicka). Die III. documenta 1964, strukturiert von Bode, Haftmann, Grohmann und Eduard Trier, zeigte von den Künstlern, die die menschliche Figur bewahrt hatten, zwar Beckmann und Lehmbruck, nicht aber Dix. Besondere Beachtung verdient jedoch die von Haftmann und Trier organisierte Ausstellung der Handzeichnungen. Hier wurden sechs Blätter von Dix gezeigt; Grosz war vertreten, Josef Hegenbarth, Lehmbruck und die namhaftesten Künstler von van Gogh, Munch und Cézanne über Moore, Wols und Picasso bis R. B. Kitaj und Jackson Pollock. Mit diesen bahnte sich freilich schon die jüngste Entwicklung an und es zeigte sich wieder, welche Kunstrichtung öffentlicher Förderung sicher sein konnte: Varianten über Varianten der Abstrakten. Dix hat die Abstrakte – und das verbindet ihn mit Beckmann – immer als formalistisch und als Sackgasse abgelehnt.

Als im Juli 1958 der ungarische Autor und Maler Ludwig Kassák (Budapest) für ein Buch über die Moderne Umfragen bei den Künstlern durchführte, antwortete Dix auf den Katalog von 22 Fragen [135] lapidar: *Frühe deutsche und italienische Meister* (seine Vorbilder); *Ismen sind Schubfächer für Dumme; Abstrakte Elemente sind in jeder Kunst, sogenannte gegenstandslose Kunst ist ein neues Kunstgewerbe; Es gibt nur rea-*

Zadkine, Dix und Jean Cassou, 1961 (Erker-Galerie, St. Gallen)

listische Kunst (auf die Frage, ob es eine realistische Kunst gäbe); *Reine Farbe und reine Form pur wie im Abstraktionismus halte ich für formalistisch; Es gibt in der Kunst keinen Fortschritt; Form muß mit Inhalt identisch sein!* Die letzte Aussage ist besonders gewichtig, weil Dix damit wieder die Form-Inhalt-Einheit (Form als Daseinsweise des Inhalts!) betont gegen alle pure Dominanz des Stoffs (wie sie z. B. im sogenannten «Sozialistischen Realismus» herrschte).

Während der Adenauer-Ära wurde die Abstrakte in der Bundesrepublik öffentlich gefördert und gefeiert, nicht aber der kritische Realismus. Durch diese Dominanz der Abstrakten und die Manipulierung derselben durch Kritiker wie H. L. C. Jaffé, Haftmann und Grohmann und durch die Medien gerieten Künstler wie Beckmann, Kokoschka, Voll und Dix, denen es um die Darstellung des Menschen ging, in den Hintergrund. Dix wurde zudem wegen seiner politischen Inhalte buchstäblich links liegengelassen. Seine Kritik an den Abstrakten ist zwar nicht so gelehrt wie die von Kokoschka und Beckmann, aber dafür um so klarer. Schon im Mai 1953 verwendet er im Brief an Wolf Hoffmann den Begriff *Diktatur der Abstrakten*; und in einem Brief vom 25. Juli 1962 an den Dresdner Sammler Max Roesberg: *Ich glaube nicht, daß in der von Ihnen erwähnten Ausstellung Bilder von uns sind, weil hier vom Staat ja nur Abstraktionisten gefördert werden...* Während Bücher über Mondrian, Miró, Schwitters,

Kandinsky, Baumeister und Vasarély erschienen, gab es bis in unsere Jahre hinein keine umfassende Monographie über Beckmann und gab es lange keine westdeutsche Gesamtdarstellung der Kunst von Dix. Großstadt- und Kriegs-Triptychon hingen noch nie gemeinsam in einer großen Ausstellung. Dix selbst war sich der Vorherrschaft der abstrakten Malerei, aber auch ihrer Unfähigkeit, die Welt umfassend zu gestalten oder zu deuten, bewußt. Er sah in ihr zu Recht eine Verengung auf Farbwerte, *ein reizvolles Spiel,* mit Jean Paul gesagt «Nihilisten». Außer in dem Fragebogen von Kassák hat sich Dix 1963 radikal dazu geäußert:... *die Abstrakten, das ist doch großer Mist... Hinz und Kunz kann das machen... das kann aufregend in der Farbe sein. Das einzige, was die Bilder haben, ist das Aufregende in den Valeurs, nicht wahr.* In dem «Gespräch im Wartezimmer» sagte er 1958: *Ich bin gegen die Gegenstandslosen, die mit dem Besen malen, mit der Armbrust die Leinwand beschießen und farbige Soßen herunterlaufen lassen. Die Erfolge sind Bilder, die man kilometerweise fortsetzen könnte. Die Erfindung bleibt winzig und eignet sich höchstens für Tapeten und Damenröcke.*[136] Also, die Abstrakte, ein *neues Kunstgewerbe,* geeignet für Tapeten? In seinem Urteil trifft sich Dix mit Beckmann, der in der abstrakten Malerei auch lediglich Dekoration sah.

Mit einem Verteidiger der Abstrakten, mit Will Grohmann, den Dix seit 1919 kannte, und der ihm 1947 eine Professur verschaffen wollte, hatte Dix 1955 in Amriswil (am Bodensee) eine Kontroverse, in der er den Realismus gegen den Apologeten der Abstrakten verteidigte. Jean Cassou nahm eine Mittlerrolle ein.[137] Damals veröffentlichte Dix seine *Gedanken zum Porträtmalen,* die hier erinnert werden (Anm. 98). Das Porträt ist das Paradigma des Realismus. In der abstrakten Kunst Kandinskys wie auch bei der sogenannten «Concept-Art» heute fällt die Darstellung des individuellen Menschen, der allein die Welt in sich trägt, weg.

Neben Dix waren es vor allem Max Beckmann, Hans Purrmann, Kokoschka und Erich Heckel, die den Gegenstand – Mensch, Natur, Bildnis – in der Malerei um 1950 bewahrten. Brecht schrieb in seinem Text «Gegenstandslose Malerei» als Fazit: «Zeigt lieber auf euren Bildern, wie zu unsrer Zeit der Mensch dem Menschen ein Wolf ist, und sagt dann: Das wird nicht gekauft zu unsrer Zeit. Denn Geld für Bilder haben zu unserer Zeit nur die Wölfe.»

Der Maler Kokoschka, den Dix aus Dresden kannte, sprach sich 1953/54 äußerst kritisch zur Abstrakte aus; gegenstandslose Malerei war ihm bloß isolierte, private Gefühlswelt, eine Art «Weltflucht».[138] Der Bildhauer Gerhard Marcks, der die menschliche Figur nicht aufgab, schrieb im Oktober 1959 an Purrmann nach der Lektüre von Hans Platscheks Buch über Tachismus: «Aber erschreckt es einen nicht, daß immer wieder das Wort ‹zerstören›... vorkommt? Die Angst vor der Form – ist es was anderes als die Angst vor sich selbst, die Angst vor dem Leben?... wir müssen durch diese Krise durch... eine satanische Angelegenheit, und in

Verleihung des Großen Verdienstkreuzes, 1959. Dix außen links

der Beziehung hat es was Ähnliches mit dem Bolschewismus (die Künder Haft- und Grohmann sind ja beide Bolschewisten).»[139] Mag die Abneigung von Marcks gegen das Zerstörerische in der Moderne berechtigt und seine Analyse als Angst vor dem Leben zutreffend sein: die Gleichsetzung mit «Bolschwismus» ist erschreckend, seine Diffamierung der konservativen Kritiker als «Bolschewisten» ist grotesk und erinnert an Nazi-Kampagnen, obgleich Marcks selbst als «entartet» diffamiert worden war.

Überraschend ehrt die Bundesrepublik Dix 1959 mit dem Großen Bundesverdienstkreuz, obwohl seine Kunst in dieser Zeit nicht gefragt ist. (Signierte Radierungen von 1922 bis 1924 kosteten damals zwischen 160 und 360 Mark.) Er erhält die Auszeichnung in einer Feierstunde, zusammen mit Ernst Jünger, der den Krieg gerade nicht realistisch und abschreckend, sondern gefährlich mystifizierend dargestellt hatte. Überreicht bekommen beide das Kreuz von einem ehemaligen NSDAP-Mitglied, dem baden-württembergischen Ministerpräsidenten Kurt Georg

Kiesinger. Im gleichen Jahr erhält Dix von der Stadt Düsseldorf den Cornelius-Preis. Der Bürgermeister der Stadt Singen erteilt ihm den Auftrag für ein Wandgemälde im Rathaus: 1960 entsteht *Krieg und Frieden*.

Die Stiftung Villa Massimo lädt Dix nach Rom ein, wo er sich im Frühjahr 1962 aufhält und neben anderen auch den DDR-Flüchtling *Uwe Johnson* zeichnet.

Am 2. Dezember 1966 wird er 75 Jahre alt. Fritz Löffler schreibt: «Lieber Otto Dix – Ihr 75. Geburtstag ist ein unwahrscheinliches Ereignis!» Die Heimatstadt Gera ernennt ihn zum Ehrenbürger. Am 23. November 1966 erhält Dix die Urkunde überreicht vom Oberbürgermeister Horst Pohl in einer Festsitzung der Stadtverordneten. Am Geburtshaus in Gera-Untermhaus, Mohrenplatz 4, wird eine Gedenktafel enthüllt mit dem Text: «In diesem Haus wurde am 2. Dezember 1891 OTTO DIX geboren. Im Jahre 1966 wurde dieser bekannte Maler und Humanist zum Ehrenbürger seiner Heimatstadt Gera ernannt.»

Das Feiern hat in Gera angefangen. Die Stadt hat mich zum Ehrenbürger ernannt... an meinem Geburtshaus haben sie eine Bronzetafel enthüllt. Der Bürgermeister wollte eingravieren «Hier wurde Prof. Otto Dix, der weltberühmte Maler und Humanist, am 2.12.1891 geboren.» Ich habe ihm erst den Professor ausgeredet, weil ich nicht als Professor, sondern als Arbeiterkind zur Welt gekommen bin. Auch den weltberühmten Maler mußte er fallenlassen, das ist übertrieben. Nur den Humanisten durfte er stehenlassen.[140]

Außer der Ehrenbürgerwürde im Osten erhält Dix im Westen den Lichtwark-Preis der Stadt Hamburg und den Ehrenring der Stadt Singen. Dazu kommt aus Dresden der Martin-Andersen-Nexö-Preis. Zahlreiche Ausstellungen im In- und Ausland ehren ihn.

Wichtige Bilder entstehen in diesen Jahren: die Bildnisse des Psychologen *Fritz Perls* und des Dichters *Max Frisch*. Die Goethe-Stiftung in Basel verleiht Dix ihren Rembrandt-Preis 1968; er wird ihm am 2. Oktober in Salzburg überreicht. Werner Schmidt, der Direktor des Dresdner Kupferstichkabinetts, hält die Laudatio. In seinen Dankesworten betonte Dix, es sei, gemessen an anderen Preisen, *ein ganz anderes Gefühl, wenn man den Rembrandtpreis bekommt, der den Namen dieses Riesen der Malerei trägt. Ich bin kein bevorzugter Schüler Rembrandts, ich meine, Sie wissen ja selber, sondern eher einer von Cranach, Dürer und Grünewald. Ich kann Ihnen nur einige kleine Erlebnisse mit Rembrandts Werken erzählen. Da ist z. B. in Dresden das große Gemälde «Opfer Manoahs». Ein herrliches Bild... Das andere Bild, das immer einen sehr großen Eindruck auf mich gemacht hat, das ist... «Saul und David», ein herrliches Bild, ein kühnes Bild... man kann es aber auch nennen «Die Macht des Geistigen über die pure Gewalt»...*[141]

Damals hatte Dix bereits einen ersten Schlaganfall erlitten. Es entstehen noch die großartigen, erschütternden Selbstbildnisse, unter anderem

Dix als Ehrenbürger in Gera, 1966

das mit der großen Hand und das als Totenkopf, von dem er einen Abzug mit dem Lorbeerkranz, den ihm sein Sohn Jan Dix zum Geburtstag gestaltet hatte, herausgibt – versehen mit der Widmung *Ehrung für Jean*

Cassou. Am 25. Juli 1969 stirbt Dix nach einem weiteren Schlaganfall im Krankenhaus von Singen. Er wird auf dem Friedhof von Hemmenhofen – in der Nähe des Grabes von Hugo Erfurth – beigesetzt.

Die Kunst von Otto Dix hat mehr als die Hälfte der Geschichte des 20. Jahrhunderts durchmessen, von der späten Kaiserzeit über die Hölle des Ersten Weltkriegs, die Jahre der ersten Republik, der Revolution, des Hungers, des Aufstiegs der Reaktion, über die ‹Bewegung› der Nazis, die Zerstörung und das Morden, die sie über Europa brachten, bis zur Zeit nach 1945, als man – «westlich» – begann, sich in einen Materialismus zu bewegen, dessen verheerende Folgen wir heute erleben. Damit ist die Dixsche Kunst – wie Hrdlicka einmal von wesentlicher Kunst forderte – Zeuge ihrer Zeit, künstlerisches Zeugnis der Geschichte unseres Jahrhunderts.

In der Adenauer-Ära, als die Abstrakten und die Abstraktion von der Geschichte mehr und mehr dominierten, erhielt der scharfe Gestalter der deutschen Physiognomie und Misere das Verdienstkreuz! Hat man seine Kunst aber verstanden?

Dix begriff seine Malerei als *Sinngebung* der chaotischen Epoche, in der er arbeitete – und zwar im Sinne von Th. Lessing (1872–1933; ermordet): Geschichtsschreibung als Sinngebung des Sinnlosen.[142]

Im geteilten Deutschland nach 1949 waren und sind auch das Erbe, die Rezeption und die Wirkungsgeschichte von Dix geteilt. Die pseudo-sozialistische DDR hat sich aus Ideologie und dem realistischen Kunstverständnis seiner antikapitalistischen Bildnerei versichert, ja sie sich teils dienstbar gemacht.

Der kapitalistische Westen ergab sich der US-Coca-Cola-Kultur, verdrängte die Verbrechen der eigenen NS-Vergangenheit und förderte eine Abstrakte (gegenstandslose, formautonome Malerei), weil diese nicht kritisch entlarvend und nicht oppositionell und aufklärerisch sein kann; man ließ antifaschistische Künstler, Realisten wie Voll und Nietzscheaner wie Dix einfach links liegen oder schwieg sie tot, wie es Carl Einstein durch die Kunsthistorie widerfuhr.

Als ich in Leipzig studierte, konnte ich bei W. Hütt ein Referat über das *Großstadt*-Triptychon von Dix halten. Als ich im Westen studierte, kam seine Kunst in keiner einzigen Lehrveranstaltung zur Sprache. – Das Desinteresse an derartiger «Malerei kritischer Feststellung» (Einstein) zeigte sich nicht nur in niedrigen Handelspreisen, sondern auch in fehlender Literatur über Dix. Das hat sich inzwischen sehr geändert: die Galerien (Klihm, Valentien) und der kapitalistische Markt haben Dix für ihre Kapitalinteressen entdeckt. Seine Kunst ist historisch qualitätvoll, und heute tut sie nicht mehr weh. Also steigen die Preise.

In der DDR schrieb nach dem Tod von Dix Oberbürgermeister Pohl von Gera an Martha Dix: «Mit dem hervorragenden Maler und Grafiker

Selbst als Totenkopf. Lithographie, 1968

Otto Dix ist ein Künstler von uns gegangen, dessen realistisches und humanistisches Lebenswerk einen ehrenvollen Platz in der Kunstgeschichte einnimmt. Seine Werke ... besitzen in der DDR hohe Wertschätzung. Mit Otto Dix hat ein großer Künstler und Mensch und ein wahrer Freund unserer Republik von uns Abschied genommen. Sein Werk lebt jedoch weiter und wird verehrungsvoll gepflegt ...» 1973 eröffnete die Stadt

Gera[143] in der Orangerie das Dix-Kabinett; aber das Geburtshaus ließ man total verfallen. Für die Feiern 1991 wurde es restauriert.

Der Nietzscheaner Dix – ein Freund der DDR? – in der Nietzsche nicht entnazifiziert war, wo Nietzsche immer (mit G. Lukács) groteskerweise als ein Wegbereiter des Faschismus galt und in Buchhandlungen verboten war.

Im Westen dominierten zur Zeit von Dix' Tod und danach «neue» Varianten um Varianten der Abstrakte – bis zur totalistischen Entgrenzung und Auflösung des Kunst- und Werkbegriffs durch den Egomanen Beuys; ihre Manager, Galeristen und akademischen Kunstdeuter bestimmten die Kunst- und Kulturpolitik. Strömungen des Verismus und eines expressiven oder kritischen Realismus waren unerwünscht, und sie sind es im Grunde noch heute[144] – nur nicht, wenn die Autoren oder Maler aus dem Osten übersiedeln. Die Künste sollen das Selbstverständnis des Westens nicht stören. Die heutige Verachtung des Realismus (und seiner Varianten) gleicht der Wut Calibans, als er sein eigenes Antlitz im Spiegel erblickte. Dix wurde lange kaum beachtet; ein Kunsthistoriker in Dresden, Löffler, und ein Lehrer im Westen, Conzelmann, nahmen sich seiner an. Und die Stadt Stuttgart begann, eine führende Dix-Sammlung aufzubauen.

Jetzt nun, nachdem sich seit etlichen Jahren expressionistische und realistische Kunstformen mehr und mehr durchsetzen, Alfred Hrdlickas Skulptur/Grafik weiteren Kreisen bekannt ist, scheint auch Dix mehr und mehr entdeckt, seine Qualität begriffen. (Schwierigkeiten gibt es noch mit den Arbeiten der vierziger Jahre.) Ein Rezeptionsgefälle besteht natürlich von (alter) DDR über die BRD zu Frankreich, wo man mit dem kritischen Verismus der Deutschen – außer J. Cassou – wenig anfangen konnte. Auch von den ausübenden Künstlern wird Dix nun stärker als wirkendes Vorbild empfunden (Volker Stelzmann, Mattias Koeppel; die spanischen Naturalisten).

Damit setzt sich diejenige Linie der Tradition fort, in der auch Dix stand, ausgehend von Goyas «Schrecken des Krieges» über den Realismus Courbets und Menzels, über Käthe Kollwitz bis heute.

Dix wollte alles, was er g e s e h e n, erlebt und gefühlt hat, künstlerisch gestalten und ausdrücken, um aufzudecken, *daß es so ist. Weil ich weiß, so ist das gewesen und nicht anders.*

Anmerkungen

1 Hans Kinkel, Vierzehn Berichte, Stuttgart 1967, S. 70; – Maria Wetzel: Ein harter Mann dieser Maler, Interview mit Dix. In: Diplomatischer Kurier, 14. Jg. Köln 1965, S. 731–745

2 Otto Dix spricht über Kunst, Religion, Krieg. Erker-Verlag, St. Gallen 1963 (No. 30–817)

3 Maria Wetzel, 1965 (wie Anm. 1)

4 D. Schmidt: Otto Dix im Selbstbildnis, Berlin (Ost) 1978 (der Autor sollte nicht mit Werner Schmidt verwechselt werden)

5 D. Schubert 1977 (s. Literaturverzeichnis)

6 Otto Dix: Erinnerungen. In: Katalog der Ausstellung Dix, Museen der Stadt Gera, 1966, S. 8

7 Zur Nietzsche-Büste vgl. P. F. Schmidt 1923, S. 3; – abgebildet auch in: Kunst der Nation, II, Oktober 1934, S. 2 (Beitrag von F. Paul = P. F. Schmidt) und in: Diplomatischer Kurier, Köln 1965, Heft 18, S. 734; – O. Conzelmann: Dix, 1983, S. 211f; – M. Eberle: Der Weltkrieg und die Künstler, Stuttgart 1989, S. 32

8 K. E. Osthaus: Van de Velde. Hagen 1920, S. 136–139; – Henry van de Velde: Geschichte meines Lebens. München 1962, S. 349f. – Die unabsehbaren Einflüsse Nietzsches in der Bildenden Kunst nach 1900 sind ein Fragen für sich wert; dazu mein Vortrag auf der 2. Nietzsche-Tagung 1980: Nietzsche-Konkretionen in der bildenden Kunst 1900–1933

9 Dix im Interview mit Maria Wetzel, 1965, S. 740

10 D. Schubert, in: Beiträge zum Problem des Stilpluralismus, München 1977, S. 203–224; – Kat. Dɪx – Stuttgart/Berlin 1991, S. 21

11 Zu dieser grundlegenden Kontroverse zwischen einem Abstrakten und einem Realisten: Franz Marc, Die neue Malerei, in: Pan II, 1912, S. 468f; – Max Beckmann: Gedanken über zeitgemäße und unzeitgemäße Kunst. In: Pan II, 1912, S. 499–502; – Franz Marc: Anti-Beckmann, ebd., S. 555f. – Dazu Ernst-G. Güse: Das Frühwerk Max Beckmanns, Frankfurt a. M. 1977, S. 11 und B. Hüppauf (Hg.): Expressionismus und Kulturkrise, Heidelberg 1983, S. 207–244

12 Alfred Döblin: Brief an H. Walden (November 1909). In: Döblin, Briefe, Olten 1970, S. 50; – sein offener Brief an Marinetti in: Döblin, Aufsätze zur Literatur, hg. von Walter Muschg, Olten 1963, S. 9–15

13 Walter Muschg: Von Trakl zu Brecht. München 1961

14 Carl Einstein: Totalität (1914). Wieder in: Carl Einstein Werke Bd. I, hg. v. R. P. Baacke, Berlin 1980, S. 223f; – H. Oehm: Die Kunsttheorie Carl Einsteins, München 1976

15 Dix-Interview von Maria Wetzel, 1965, S. 736 – diese Gruppe der frühen
   Selbstbildnisse ist unter dem Stichwort Rezeptions- und Stilpluralismus an anderer Stelle ausführlich behandelt (D. Schubert 1977, S. 203 ff)
16 Fr. Löffler 1960, S. 13; – Katalog der Dix-Ausstellung, Stuttgart 1971, S. 46; –
   Löffler 1977, S. 14; – Diether Schmidt, Dix im Selbstbildnis, 1978, S. 25. – Der
   Katalog der Van Gogh-Ausstellung Dresden befindet sich im Zentralinstitut
   für Kunstgeschichte, München; – dazu mein Beitrag von 1977, S. 207
17 W. Eckhardt, Van Gogh und Deutschland. Heidelberg 1956 (freundl. Hinweis
   von Roland Dorn, Mainz); – W. Braunfels: Vincent van Gogh. Berlin/Darm-
   stadt 1962; – Werner Schmidt: Dix-Rede. Salzburg 1968, S. 18. – Der folgende
   Text von Felixmüller in: Das Kestnerbuch, hg. von P. E. Küppers, Hannover
   1919, S. 143 und bei D. Schubert 1977, S. 207
18 Maria Wetzel, 1965, S. 736
19 G. Fuchs, Die Vorhalle zum Haus der Macht und Schönheit (von Peter Beh-
   rens). In: Deutsche Kunst und Dekoration, 11, 1902/03, S. 2–12
20 J. Langbehn, Rembrandt als Erzieher – von einem Deutschen. Leipzig 1890,
   49. Aufl. 1909, S. 45 f
21 Dazu Kurt Tucholsky: Der Geist von 1914 (geschrieben 1924). In: Tucholsky,
   Gesammelte Werke, 1975, Bd. 3, S. 426 f
22 Heinrich Mann: Kaiserreich und Republik (1919). In: H. M. Essays. Hamburg
   1960, S. 413 und S. 408/09
23 Dix mündlich im Dez. 1963, vgl. die Schallplatte des Erker-Verlags St. Gallen
24 Vgl. zum Selbstbild im Unterstand März 1917 (Karte in Gera) D. Schubert
   1977, S. 218; – D. Schmidt 1978, S. 17. – Zu dem kl. Kriegstagebuch in Albstadt vgl. O. Conzelmann: Der andere Dix, Stuttgart 1983, S. 81–99 und mit
   Auswertung des Militärpasses die neuen Daten bei D. Schubert, Pazifismus,
   1985, S. 185–202; – R. Beck, in: Dix-Katalog. Villa Stuck München 1985,
   S. 11–21; F. Löffler: O. Dix und der Krieg, Leipzig 1986; Ulrike Rüdiger:
   Grüße aus dem Krieg – die Feldpostkarten in Gera. Gera 1991, S. 70 (dort ins
   Jahr 1916 datiert)
25 Ivana Tomaschke, in: Dresdner Kunstblätter, Heft 12, 1966, S. 185 ff; –
   D. Schubert 1977, S. 212; – Löffler 1977, No. 9; – D. Schmidt 1978, S. 15; –
   Kat. Dix, München 1985, S. 150; – M. Eberle: Der Weltkrieg und die Künstler, 1989
26 Zitiert nach Hans Kinkel, in: Stuttgarter Zeitung vom 30. 11. 1961 und H. Kinkel: Vierzehn Berichte. Stuttgart 1967, S. 75
27 Zitiert nach Maria Wetzel, 1965, S. 742
28 Dix im Dezember 1963, Schallplatte des Erker-Verlags St. Gallen
29 Vgl. Otto Conzelmann, Dix, 1959, S. 17 und Löffler 1977, S. 15–16; – Kat.
   Dix, München 1985, S. 26–42 (R. Beck)
30 E. M. Remarque, Im Westen nichts Neues. Berlin 1929; – Henri Barbusse:
   Das Feuer. Zürich 1918; – Ludwig Renn: Krieg (ab 1916 geschrieben). Berlin
   1928 und von Arnold Zweig, Der große Krieg. Berlin 1927 f
31 Henri Barbusse, Das Feuer, 1918, S. 240
32 Max Beckmann: Briefe im Kriege. Berlin 1916, S. 52 mit dem Hinweis auf die
   Geißelung Christi
33 Kat. der Ausst. Otto Dix – Feldpostkarten, Radierungen aus dem Kriegszyklus, Museen der Stadt Gera, 1975 (von Maria Kühl); – Kat. der Dix-Ausst.
   Gera Orangerie 1981/82, No. 11–56; – Kat. Dix, München 1985, No. 50–95; –

U. Rüdiger wie Anm. 24 und dieselbe im Kat. der Dix-Ausst. Stuttgart 1991, S. 51f

34 Schubert: Dix, 1980, S. 32; – Conzelmann, 1983, S. 12–13, behauptete, ich habe Titel «pazifistisch» und «tendenziös» umfrisiert, ohne zu bemerken, daß er eine andere Zeichnung abbildete (S. 90). Grotesk! Vgl. die Rezension von Uwe M. Schneede, in: Fr. Allg. Ztg., 26. 11. 1983

35 Henri Barbusse: Das Feuer (Paris 1916), Zürich 1918, S. 301

36 Sebastian Haffner, Die verratene Revolution, Bern 1969, Neuausgabe: Die deutsche Revolution 1918/19. München 1979. – Als romanhafte Darstellung Alfred Döblin: November 1918. München 1978 (hg. von H. D. Osterle); – Ernst J. Gumbel, Zwei Jahre Mord, Berlin 1921; – Elisabeth Hannover-Drück/H. Hannover: Der Mord an Rosa Luxemburg und Karl Liebknecht, Frankfurt a. M. 1967, 3. A. 1972; – K. Kreiler (Hg.): Traditionen deutscher Justiz – Politische Prozesse 1914–1932. Berlin 1978 und von Ernst Toller: Briefe aus dem Gefängnis. Amsterdam 1935 und München 1978

37 Kurt Tucholsky: Fratzen von Grosz (1921). In: Tucholsky, Gesammelte Werke, 1975, Bd. 3, S. 42

38 Theodor Däubler, Der neue Standpunkt. Hellerau 1916 (neu hg. von Fr. Löffler, Dresden 1957) und Däubler: Georg Grosz. In: Die weißen Blätter, 3. Jg. 1916, Oktober–Dezember-Heft, S. 160–170

39 Löffler, 1977, S. 18–19; – Dieter Gleisberg, in: Dezennium 2 (Verlag der Kunst), Dresden 1972, S. 163–181; – Katalog «Dresdner Sezession» München Galleria dell Levante, München 1977

40 D. Gleisberg, a. a. O. 1972; – J. Heusinger v. Waldegg: Wie sie einander sahen. In: Katalog «Dresdner Sezession», München 1977

41 Fr. Löffler: Die Dresdner Sezession Gruppe 1919, in: Kat. Kunst im Aufbruch, Dresden 1918–1933, Dresden 1980, S. 39f; – R. März 1985, S. 71f

42 Eckart von Sydow: Der doppelte Ursprung des Expressionismus. In: Neue Blätter für Kunst und Dichtung, 1. Jg. 1918/19, S. 227–230 und ders.: Das religiöse Bewußtsein... ebd. 1919, S. 193f (wieder abgedruckt im Kat. «Dresdner Sezession», 1977)

43 Maria Wetzel, 1965, S. 740

44 Friedrich Nietzsche: Die Fröhliche Wissenschaft (1882, zweite Ausgabe 1886), 2. Buch No. 57 «An die Realisten»

45 In: Der Gegner II, 8/9, 1920/21 – auch bei Uwe M. Schneede, Die zwanziger Jahre, 1979, S. 95–101

46 «Werden» – Holzschnittwerk I 1919, Dresden 1919/20; – vgl. Waltraut Neuerburg, 1976, No. 39/5; – Florian Karsch 1970, No. 339–345

47 Auf Grund der Pappfiguren und seiner Mappe «Gott mit uns» wurde Grosz wegen angebl. Beleidigung der Reichswehr angeklagt und zu 300 Mark Strafe verurteilt; – dazu Kurt Tucholsky, Dada-Prozeß, in: Gesammelte Werke, 1975, Bd. 3, S. 26–30; – L. Fischer: Otto Dix, Berlin 1981, S. 27; – H. Adkins, in: Stationen der Moderne, Berlin 1988, S. 164

48 Fr. Löffler 1977, No. 31; – Katalog Dix, Stuttgart 1971, No. 38; vgl. J. K. Schmidt: Bestandskatalog Dix, Galerie der Stadt Stuttgart 1989, S. 6

49 Die im folgenden erwähnte «Kunstlump-Debatte» wurde in der Zeitschrift «Der Gegner» I, 1919/20, in der «Roten Fahne» (Juni 1920) und in der «Aktion» (1920, Heft 29/30) geführt; – dazu Uwe M. Schneede 1979, S. 50 bis 60

50 Kat. Dix, Berlin 1987, No. 160 f; – Waltraut Neuerburg 1976, die Zyklen von Dix ebd. No. 39–45

51 Leonhard Frank: Der Mensch ist gut! Zürich 1918 (in Deutschland bis 1918 verboten), eine Sammlung von erschütternden Anti-Kriegsnovellen, für die Frank 1922 den Kleist-Preis bekam. – Zu Dix besonders der Text über die Kriegskrüppel

52 W. Hofmann, Einschränkende Bemerkungen. In: Zeugnisse der Angst in der modernen Kunst. Darmstadt 1968, S. 52 f

53 Maria Wetzel, 1965, S. 743

54 Maria Wetzel – ebd. S. 736

55 José Ortega y Gasset: Über den Blickpunkt in der Kunst. In: Ortega, Triumph des Augenblicks – Glanz der Dauer. München 1963, S. 254–270

56 E. Knauf, S. 185–206 (siehe Lit.verz.); – Franz Roh: Der Maler Kurt Günther. Berlin 1928, S. 44; – D. Schubert 1973, S. 272 und in: Weltkunst vom 15. 8. 1973, S. 1279; – Kat. Dix 1991 Stuttgart, S. 82 (Farbe)

57 Dazu Fr. Löffler, Dix, 4. Auflage 1977, No. 32–33; – D. Schubert 1973, S. 274 und Abb. 7; – D. Gleisberg: Katalog der Felixmüller-Ausstellung Dresden / Berlin (Ost), 1975/76, S. 28; – D. Schubert, in: Katalog der Felixmüller-Ausst. Dortmund/Wiesbaden 1977/78, S. 9; – Max John war Arbeiter und Drucker (vgl. Jutta Penndorf, in: Expositionen Lindenau-Museum Altenburg, No. 6, 1987, S. 6)

58 O. Conzelmann 1968, No. 104; – Hans Kinkel 1968, No. 73; – Katalog der Dix-Ausst. Frankfurt a. M. 1972; – D. Schubert 1977, S. 205; – D. Schmidt 1978, No. 50. – Wiederverwendet wird diese Komposition von Dix im Gemälde *Künstler und Muse* von 1924 (Abb. S. 83)

59 Fotos im Nachlaß von Felixmüller (freundl. Hinweis meines Kollegen Dieter Gleisberg, Altenburg, im Juli 1979); – vor 1921 fotografierte Erfurth auch Richard Müller in stolzer Pose (F. H. Meißner, Richard Müller. Dresden 1921)

60 Adolf Behne: Der Staatsanwalt schützt das Bild. In: Die Weltbühne, hg. von S. Jacobsohn, 18. Jg., 23. Nov. 1923, S. 547; – L. Leiss, Kunst im Konflikt, 1971, S. 327–329 mit dem Text der Urteilsbegründung. – Carl Einstein: Dix, in: Das Kunstblatt 1923, S. 97–102; – W. Hütt: Hintergrund, Berlin 1990, S. 200 f

61 Dix-Brief vom 4. 8. 1921 im Archiv, Nürnberg, Nationalmuseum

62 Friedrich Nietzsche: Die Fröhliche Wissenschaft (1882), Vorrede zur 2. Ausgabe 1886 – dort auch das folgende Zitat

63 Friedrich Nietzsche: Umwertung aller Werte – aus dem Nachlaß hg. von F. Würzbach, 2. Aufl. München 1977, S. 525; – Nietzsche: Histor. Krit. Ausgabe von G. Colli/M. Montinari, VIII. Abt. 2. Bd. 1970, S. 149. – Vgl. dazu Karl Löwith: Nietzsches Philosophie der ewigen Wiederkehr des Gleichen, 3. Aufl. Hamburg 1978; – M. Montinari: Nietzsche lesen, Berlin 1982

64 Nietzsche: Dionysos philosophos, Kap. 7 im 4. Buch MITTAG und EWIGKEIT von: Umwertung aller Werte, ed. Würzbach, 1977, S. 797

65 Anna Klapheck: Mutter Ey (1958) 3. Aufl. Düsseldorf 1978, S. 28; – Löffler 1977, S. 49–53; – P. Barth: Otto Dix und die Düsseldorfer Künstlerszene, 1983

66 Willi Wolfradt, in: Cicerone XV, 1923, S. 173–178; – Löffler 1977, No. 68 und S. 56. – Das Gemälde wird hier nach einem Foto von Hugo Erfurth reproduziert (das Frau Dix freundlichst auslieh)

67 D. Schubert, in: Städel-Jahrbuch 4, 1973, S. 271–298; – ferner Willi Wolfradt, in: Cicerone XV, 1923, S. 173; – zu den unten erwähnten Fotos der Eltern von Erfurth: der Kopf der Mutter bei B. Lohse, Hugo Erfurth, Seebruck 1977, Tf. 139; – das Foto vom Vater (1926), nicht publiziert (im Besitz von Frau Martha Dix)

68 J. Meier-Graefe: Die Ausstellung in der Akademie. In: Deutsche Allgemeine Zeitung vom 2. 7. 1924

69 Liebermanns Brief mitgeteilt von Secker in: Kölner Tageblatt vom 9. 10. 1924, S. 9; – Westheims Leserbrief in: Dt. Allg. Ztg. vom 8. 7. 1924 (dank Hinweis von W. Schröck-Schmidt)

70 Das Statement der Maler des «Jungen Rheinland» in: Das Kunstblatt, hg. von P. Westheim, 8, 1924, S. 317 f. – Willi Wolfradt: Otto Dix. Leipzig 1924

71 E. Kallái, in: Das Kunstblatt, XI, 1927, S. 97 f. – Fr. Löffler 1977, S. 66; – ferner Eckart Gillen, in: Wem gehört die Welt. Berlin 1977, S. 211; – H.-D. Kittsteiner: Dix, Friedrich und Jünger – Bilder des Weltkrieges. In: Kat. d. Ausstellung Dix – Zwischen den Kriegen, Berlin 1977, S. 35

72 Der Textsammlung von B. Feistel-Rohmeder: Im Terror des Kunstbolschewismus, 1938, S. 162 f war der Titel «Entartete Kunst» in Dresden 1933 zu entnehmen: «Die Stadt Dresden zeigt ihre entartete Kunst» (S. 204 f). – Ferner trägt ein Film der Nazis von 1933 über die Schau auch schon «Entartete Kunst» als Titel (Chronos-Verleih); vgl. Gertraud Thiele, in: Dresden – Kunstakademie, Dresden 1990, S. 321; – F. Z.: Entartete Kunst, in: Dresdner Nachrichten, 22. 9. 1933; – Rudolf Paulsen: Der Verrat an der Kunst, in: Illustrierter Beobachter, 8. Jg., 50, vom 16. 12. 1933, S. 1713 f; – R. Müller: Spiegelbilder... in: Dresdner Anzeiger, 23. 9. 1933; – D. Schmidt, In letzter Stunde, 1964, S. 213–219; – D. Schubert, in: Kunst und Kunstkritik der dreißiger Jahre, Dresden 1990, S. 151; – C. Zuschlag, in: «Degenerate Art», hg. v. S. Barron, Los Angeles 1991, S. 85

73 Dix – Interview von Maria Wetzel, 1965, S. 742

74 Dix selbst im Jahre 1963 zu Freunden (s. Schallplatte Erker-Verlag St. Gallen); vgl. D. Schmidt: Dix im Selbstbildnis, 1978, S. 239

75 Die Bildnisbüste Dix von Voll ist verschollen; der Brief von Max Roesberg an Dix datiert vom 25. Juni 1924 (Dix-Archiv Nürnberg GNM); – Anne Kassay: Der Bildhauer C. Voll. Hamburg 1985

76 Florian Karsch 1970; – Löffler 1977, S. 71; – Katalog der Galerie Albstadt: Otto Dix – Der Krieg, hg. von Alfred Hagenlocher. Albstadt 1977; – Zwei Faksimile-Ausg. erschienen 1972 in Barre/Mass., ed. by W. R. Tyler, und 1985 in Friedrichshafen, hg. v. L. Tittel

77 W. Haftmann: Moderne Kunst und ihre politische Idee. In: Jahresring 1957/58, S. 75; – Arnold Gehlen: Zeitbilder, 2. Aufl. Frankfurt a. M. 1965, S. 151

78 E. M. Remarque: Im Westen nichts Neues. Berlin 1929, Kap. 7

79 Roland März/Gottfried Riemann: Katalog «Realismus und Sachlichkeit». Berlin (Ost) 1974, Kat. No. 45

80 H.-D. Kittsteiner, in: Katalog Dix – zwischen den Kriegen. Berlin/Hannover 1977/78, S. 33–35

81 Diese Pressestimmen sind zusammengestellt im Katalog der Dix-Ausstellung. Berlin 1926, Galerie Nierendorf, S. 15 f

82 Jean Cassou, im Kat. Dix – Der Krieg. Galerie Erker, St. Gallen 1961; – Dix, Cassou und Grohmann diskutierten 1955 in Amriswil über Fragen der moder-

nen Kunst; 1968 widmete Dix sein letztes Selbstbildnis als Totenkopf dem
französischen Schriftsteller; Cassou hatte für das Pariser Nationalmuseum das
Porträt der Sylvia von Harden angekauft

83 Maria Wetzel, 1965, S. 742–743

84 D. Schubert 1973, S. 275; – Katalog «Wem gehört die Welt», Berlin 1977,
S. 311–312

85 W. Schmied, Neue Sachlichkeit, 1969, S. 256; – Uwe M. Schneede: Die zwanziger Jahre, 1979, S. 106–107 und E. Gillen: Die Sachlichkeit der Revolutionäre. In: «Wem gehört die Welt», Berlin 1977, S. 205 ff; zur Moskauer Ausstellung auch S. 242

86 Adolf Behne, in: Die Weltbühne, 22. Jg. 1926, No. 9, S. 347; – J. Heartfield,
Grün oder – Rot? ebd. No. 11, 1926, S. 434f; – G. Grosz/W. Herzfelde: Die
Kunst ist in Gefahr. Berlin 1925; – G. F. Hartlaub: Zynismus als Kunstrich-
tung? In: Frankfurter Zeitung, 13. 9. 1924

87 P. F. Schmidt, in: Das Kunstblatt 8, 1924, S. 373

88 Dazu P. F. Schmidt, ebd. 1924 und vgl. D. Schubert 1973, S. 287–288; – Re-
nate Hartleb: Der sozial-kritische Verismus. In: Katalog Realismus und Sachlichkeit. Berlin (Ost) 1974, S. 28–33

89 Maria Wetzel, 1965, S. 739

90 G. F. Hartlaub, in: Das Kunstblatt 6, 1922, S. 390f. Zu Hartlaubs Position vgl.
auch sein Rundschreiben vom 18. Mai 1923 als Vorbereitung der Ausstellung
«Neue Sachlichkeit» von 1925 (Fritz Schmalenbach: Kunsthistorische Studien. Basel 1941), wo er von einem klassizistischen und einem veristischen
Flügel spricht. – Westheim reproduzierte übrigens in dem Heft des «Kunstblattes» versteinerte Lava-Leichen aus Pompeji – als Provokation des «Naturalismus»; vgl. die Situation heute!

91 Jean Paul: Vorschule der Ästhetik (1804), Jean-Paul-Ausgabe, Hanser-Ver-
lag, hg. von N. Miller, München 1965, Bd. V, S. 31–43

92 Maria Wetzel, 1965, S. 740

93 Jean Paul, Vorschule (1804), a. a. O. 1965, S. 43

94 Maria Wetzel, 1965, S. 740

95 Max Beckmann an W. Hausenstein, 12. März 1926. In: W. Hausenstein: Wege
eines Europäers. Kat. des Schiller-Nationalmuseums Marbach 1967, S. 82f

96 Von Andrea Mantegna befindet sich in der Dresdner Galerie das Gemälde der
hl. Familie, das die Figuren feierlich in strengster Frontalität wiedergibt, in
präziser Zeichnung und auffallender Plastizität (vgl. dazu Theodor Hetzer,
Vom Plastischen in der Malerei, in: Aufsätze und Vorträge, Bd. II, Leipzig
1957, S. 131 f)

97 Maria Wetzel, 1965, S. 736–744; – ausführlich hat Dix seine Lasurtechnik
1958 erläutert: «Painting a figure composition in Tempera and Oils» in: Washington School of Arts, Lesson 20, 1958 (abgedruckt bei Diether Schmidt
1978, S. 224ff); – ferner die Notizen zur Maltechnik für das Bildnis Flecht-
heims auf der Rückseite eines Briefs von Hugo Erfurth vom 25. Juli 1926 (Dix-
Archiv, Nürnberg)

98 Dix: Gedanken zum Porträtmalen. In: Internationale Bodensee-Zeitschrift,
Amriswil, März 1955, S. 59–60

99 In: Hugo Erfurth – Bildnisse, hg. von O. Steinert/J. A. Schmoll gen. Eisenwerth. Gütersloh 1961, No. 55

100 Willi Wolfradt, in: Cicerone 21, 1929, S. 136; – Fr. Löffler 1977, S. 85

101 Harry Graf Kessler: Tagebücher 1918–1937, hg. von W. Pfeiffer-Belli. Frankfurt a. M. 1961, S. 467

102 Maria Wetzel, 1965, S. 737–738

103 Fr. Löffler 1977, S. 79–81; – die Briefe von Ferdinand Dorsch an Dix im Archiv des GNM Nürnberg; – zur Berufung von Dix im Herbst 1926 vgl. Christa Bächler in: DRESDEN – Von der königlichen Kunstakademie zur Hochschule, Dresden 1990, S. 268 ff

104 Katalog der Jahresausstellung Künstlerbund Thüringen, Gera 1927 (Jury: Kurt Günther, Alex Wolfgang, H. Paschold, Kurt Gröbe und Paul Neidhardt). – Zu Alexander Wolfgang vgl. L. Lang: Begegnungen im Atelier. Berlin (Ost) 1975 und E. Frommhold: Alexander Wolfgang. Dresden 1975

105 D. Schmidt: Manifeste, 1965, S. 377; – Uwe M. Schneede, Die zwanziger Jahre, 1979, S. 138; – D. Schmidt 1978, S. 205

106 P. F. Schmidt: Philipp O. Runge. Leipzig 1923; – Franz Roh: Nach-Expressionismus, 1925, S. 129; – Wolfgang Götz, in: Saarheimat 7. Jg., 1963, S. 372–376; – J. Traeger: Philipp Otto Runge und sein Werk. München 1976, S. 198; – D. Schubert 1977, S. 208

107 Dix in einem Gespräch mit der «Thüringischen Landeszeitung», Gera, November 1966 (zitiert nach D. Schmidt 1978, S. 248)

108 Katalog Dix – Zeichnungen, Aquarelle, Grafiken, Kartons, Hamburg 1977, Abb. S. 116–121; – D. Schubert: Dix und der Krieg, a. a. O. 1985, S. 185 f; – Hans-W. Schmidt: Dix – «Der Krieg», 1983 (wie Anm. 122), S. 108 f; – R. Beck: Krieg, in: Kat. München 1985, S. 18 f; – O. Conzelmann, a. a. O. 1983, S. 256; – Bestandskatalog Stuttgart 1989, No. 25

109 Dix im Gespräch mit dem «Neuen Deutschland» Berlin (Ost), Dezember 1964 (zitiert nach D. Schmidt 1978, S. 244)

110 Henri Barbusse, Das Feuer, 1918, S. 323

111 Archiv f. bild. Kunst Nürnberg GNM, Mat. 4: Dokumente zu Leben und Werk: OTTO DIX, 1977, S. 71 D 31; – D. Schmidt, In letzter Stunde, Dresden 1964, S. 43 und 213 ff; – H. Brenner: Die Kunstpolitik des Nationalsozialismus, Reinbek 1963, S. 38; – D. Schubert, in: Kunst und Kunstkritik der dreißiger Jahre, 1990, S. 149 f; – G. Thiele: Die Akademie unter der Herrschaft des Faschismus, in: DRESDEN – Von der königlichen Kunstakademie zur Hochschule, 1990, S. 308; – Kat. Otto Dix – zum 100. Geburtstag, Stuttgart / Berlin 1991, S. 23 (von Andrea Hollmann)

112 Michael Koch, in: Kunst in Karlsruhe 1900–1950. Karlsruhe 1981, S. 102 f; – Karoline Hille, in: Inszenierung der Macht. Berlin 1987, S. 159 f; – M. v. Lüttichau: Deutsche Kunst und Entartete Kunst, in: Die Kunststadt München 1937. München 1987, S. 94–95. – Zu Dresden 1933 vgl. B. Feistel-Rohmeder: Im Terror des Kunstbolschewismus, 1938, S. 204–207; – D. Schubert 1990 (wie Anm. 111), S. 151; – G. Thiele, in: Dresden – Akademie, 1990, S. 321 f (Film-Titel «Entartete Kunst»); die Dresdner Schau war also vorbildlich für 1937/38. – Siehe auch C. Zuschlag, in: Degenerate Art. Los Angeles 1991, S. 100; – D. Schubert, in: Kat. DIX, Stuttgart 1991, S. 275 (vgl. Anm. 72)

113 G. Grosz: Ein kleines Ja und ein großes Nein. Hamburg 1955, S. 66 f. – Zu Müller vgl. F. H. Meißner: Das Werk von Richard Müller. Dresden 1921 (freundl. Hinweis meines Kollegen Dieter Gleisberg); – Th. Schröder, in: ZEIT-Magazin vom 1. 11. 1974, S. 67 f; – Löffler, S. 17, 98; – zu Müller in Dresden 1933/34 s. G. Thiele, in: Dresden, Akademie, 1990, S. 321 f

114 Löffler 1977, No. 143 und Text S. 105; – M. P. Maas, Das Apokalyptische in der modernen Kunst 1965, S. 86; – Birgit Schwarz: Werke von O. Dix. Staatliche Kunsthalle, Karlsruhe 1986

115 Diese Klage stammt von Lucas Moser; sie lautet: «schri, kunst, schri und klag dich ser, dein begert itzt niemer mer, so o we 1431» – auf dem Rahmen seines Magdalenen-Altars in Tiefenbronn (vgl. Ernst Heidrich: Die altdeutsche Malerei. Jena 1909, S. 254). – Die Briefe von Dix an Neumann mitgeteilt von Olga Rinne im Katalog «Zwischen Widerstand und Anpassung», Akademie Berlin, 1978, S. 122

116 Dix und Lenk lernten sich an der Akademie in Dresden kennen. Im Gegensatz zu Dix ging Lenk unkritisch sachlich mit Bildnis, Stilleben und Landschaft um (Neu-Romantik); Lenk gründete dementsprechend mit Kanoldt, Radziwill, Schrimpf und Champion 1928 die Gruppe «Die Sieben»; – vgl. auch L. Fischer: Dix, 1981, S. 103–106

117 Wilko von Abercron: Katalog der Lenk-Ausstellung. Köln 1976, S. 15–19. – Zu Lenk und Dix vgl. Literaturverzeichnis P. F. Schmidt 1935 und Fritz Hellwag 1934/35; – Löffler 1977, S. 100

118 Maria Wetzel, 1965, S. 745. – Auch im Gespräch von 1961 mit Hans Kinkel betonte Dix die Rolle der Landschaft in den dreißiger Jahren (H. Kinkel: Vierzehn Berichte, 1967, S. 75); – E. Karscher: Landschaft, in: Dix-Kat. München 1985, S. 204

119 Hans-W. Jäger: Politische Metaphorik im Jacobinismus und im Vormärz. Stuttgart 1971

120 Von Löffler bis zur 4. Aufl. 1977 nicht bemerkt; – vgl. Werner Schmidt: Dix-Rede. Salzburg 1968, S. 17; – D. Schubert: «Ich habe Landschaften gemalt – das war doch Emigration», in: Kat. Dix – zum 100. Geburtstag, Stuttgart/Berlin 1991, S. 273–282

121 Henri Barbusse: Das Feuer, 1918, S. 379–382

122 H. Brenner 1963; – Verboten Verfolgt – Kunstdiktatur im 3. Reich, hg. v. B. Lepper, Duisburg 1983, S. 45; – Hans W. Schmidt: Dix – «Der Krieg», in: Verfolgt und Verführt, Kunst unterm Hakenkreuz in Hamburg, KH Hamburg 1983, 108f; – M. v. Lüttichau, in: Die Kunststadt München 1937, hg. v. P. Schuster, 1987, S. 130f; – M. v. Lüttichau: Entartete Kunst, in: Stationen der Moderne. Berlin 1988, S. 304; – C. Zuschlag, in: Degenerate Art. Los Angeles 1991, S. 102

123 Vgl. Köln, Illustr. Ztg. vom 17.8.1935, S. 996/97 Hitler in Dresden; D. Schmidt: In letzter Stunde, 1964, S. 219; – D. Schubert, in: Kat. Dix – zum 100. Geburtstag, Stuttgart/Berlin 1991, S. 275

124 Werner Schmidt, Dix-Rede, 1968, S. 17; – derselbe im Katalog «Dialoge», Dresden 1970, S. 157; – D. Schubert 1973, S. 285; – Löffler 1977, S. 109

125 Mitgeteilt von Diether Schmidt 1978, S. 207

126 Löffler: Das christliche Thema, in: Dix-Katalog, München 1985, S. 232

127 O. Conzelmann: Dix, 1959, S. 48; – H. Brenner 1963, S. 110f; – D. Schmidt: In letzter Stunde, 1964, S. 228, S. 250

128 Galerie Fischer – Auktionskatalog: Gemälde und Plastiken moderner Meister aus deutschen Museen. Luzern 1939; – H. Brenner 1963, Abb. 18–19

129 Maria Wetzel, 1965, S. 740–742

130 Abgedruckt in: Franz Lenk – Retrospektive, Galerie Wilko von Abercron. Köln 1976, S. 6

131 Brief von Dix vom 16. September 1944 an Ernst Bursche, Dresden, abgedruckt bei D. Schmidt 1978, S. 214–215

132 Katalog «Geraer Maler stellen zur Schau», Ausstellungshalle Gera, veranstaltet vom Kulturamt, Gera 1947, S. 6

133 Dix in «Tägliche Rundschau», Dresden, 16. 11. 1947; – dazu Löffler, in: Die Kunst Bd. 65, 1966/67, S. 113 und Diether Schmidt 1978, S. 217

134 Maria Wetzel, 1965, S. 745; – ferner dazu Löffler 1977, S. 121–122 (vgl. Anm. 126)

135 Brief von Kassák und Dix' Antwort vom 24. Juli 1958 im Dix-Archiv, Nürnberg

136 Schallplatte «Otto Dix spricht...», Erker-Verlag St. Gallen; – Das «Gespräch im Wartezimmer» bei D. Schmidt 1978, S. 222

137 G. Marchiori in: Karl Gutbrod (Hg.), Lieber Freund... Künstler schreiben an Will Grohmann. Köln 1968, S. 21; – Jean Cassou forderte bereits in seinem signifikanten Buch von 1950, «La situation de l'art moderne», die bildenden Künste wieder auf die menschliche Wirklichkeit zurückzuführen

138 B. Brecht: Schriften zur Literatur und Kunst, Bd. 2, 1967, S. 68–72; – O. Kokoschka: Gegenstandslose Kunst?, in: Universitas 9, 1954, Heft 12, S. 1297f; – ders. schrieb 1953 einen Text über Edvard Munch (wieder in: Katalog Munch, München 1987, S. 35–44)
   Vgl. schon Carl Einstein: Die Fabrikation der Fiktionen (um 1932), hg. v. S. Penkert, Reinbek 1973. – Zur Kommentarbedürftigkeit abstrakter Bilder A. Gehlen: Zeitbilder, Frankfurt a. M. 1960 und die Rezension von M. Gosebruch, in: Atlantis, 6, 1962, S. 17f; – J. Hermand, in: Realismustheorien, hg. von R. Grimm/J. Hermand, Stuttgart 1975, S. 118f

139 Brief von G. Marcks an Hans Purrmann, 20. Oktober 1959 im Archiv des GNM Nürnberg; – vgl. auch E. Trier: Die Kunstgeschichte zwischen Formalismus und Realismus, in: Jahresring, 1977/78, S. 52f

140 Dix-Interview in Hamburg, «Hamburger Abendblatt» vom 9. 12. 1966, anläßlich der Überreichung des Lichtwark-Preises

141 W. Schmidt und Dix in: Gedenkschrift zur Verleihung des Rembrandt-Preises 1968 der Goethe-Stiftung in Basel, Salzburg 1968

142 W. Stolte: Zur Dix-Rezeption, in: Kat. Dix, Kaiserslautern 1987, S. 39f; – Kat. OTTO DIX – zum 100. Geburtstag, Stuttgart/Berlin 1991. – Die Geschichte der Wirkung der Dixschen Kunst auf die schaffenden Künstler ist noch nicht erarbeitet.

143 Vgl. meinen Artikel in: Weltkunst, 15. 8. 1973, S. 1279 und meine Besprechung der Stuttgarter Dix-Ausstellung zum 90. Geburtstag 1981 in: Das Kunstwerk, 35. Jg., 1982, April-Heft, S. 70–71

144 Alfred Hrdlicka: Die Ästhetik des automatischen Faschismus, in: KONKRET – Sonderheft Literatur, Herbst 1983, S. 6–9; und von Hrdlicka: Schaustellungen – Bekenntnisse, München 1984; – vgl. D. Schubert: Hrdlickas antifaschistisches Mahnmal in Hamburg – oder: Die Verantwortung der Kunst, in: Denkmal – Zeichen – Monument, hg. v. E. Mai, München 1989, S. 134f; – Jost Nolte: Kollaps der Moderne. Hamburg 1989

Zeittafel

1891	Geboren am 2.12. in Gera-Untermhaus als erstes von vier Kindern des Arbeiters Franz Dix und seiner Frau Louise
1905–1909	Lehre als Dekorationsmaler in Gera; 1908 erste Bilder in Kreide, Pastell, Öl; Malergeselle in Pösneck
1909	geht Dix an die Kunstgewerbeschule Dresden; Lehrer R. Guhr; Landschaftsbilder, Selbstbildnisse um 1912; Van Gogh-Ausstellung. Nietzsche-Lektüre
1914–1918	Mit Freund Kurt Lohse Kriegsfreiwilliger; Ende August bei Dresden und seit Februar 1915 bei Bautzen Ausbildung für SFH 02 und schweres MG. Rückt am 21.9.1915 als Gefreiter in den Krieg in der Champagne und an der Marne; seit November 1915 Unteroffizier; Juli 1916 in der Somme-Schlacht; Stellungskämpfe im Artois; Herbstschlacht an der Somme vom 24.10.–6.12.1916 (s. Militärpaß, Nürnberg); 1917 mit seinem MG-Zug 390 im Artois (bei Bapaume). Kurs zur Fliegerabwehr in Gent, August 1917; im September 1918 in Tongern 2. Kurs zur Fliegerabwehr. November–Dezember 1917 an der Ostfront (Gorodniki, Lagoerde/Wolhynien); 1918 wieder in Nordfrankreich und in Flandern (Langemarck); sächsische Friedrich-August-Medaille Mai 1917; am 8.10.1918 planm. Vizefeldwebel; zur Ausbildung als Flieger nach Schneidemühl; im Dezember 1918 nach Gera entlassen
1919	Im Januar nach Dresden: Kunstakademie; Gründung der «Gruppe 1919» mit Felixmüller u. a. Lernt Däubler, Hugo Erfurth kennen, später den Bildhauer C. Voll, den Rechtsanwalt Dr. Fritz Glaser. Nach Ausstellung 1916 in der Galerie E. Arnold nun Ausstellung mit der «Gruppe 1919»; kubo-futuristische Werke: *Mondweib*, *Leda*, *Selbst*
1920	Grosz lädt Dix zur 1. DADA-Messe Berlin im Juni ein (Schlichter, Heartfield, Grosz, Hanna Höch); große Collage-Werke und Wendung zum Realismus
1921	Reisen ins Rheinland: Köln, Düsseldorf; lernt Dr. Koch und dessen Frau Martha kennen, Kontakte zu Johanna Ey. Hugo Erfurth fotografiert Dix in mehreren Serien. Es erscheinen die graphischen Mappen *Werden*, *Tod und Auferstehung*, *Zirkus*. Konstituierung des sozialen Verismus
1922	Übersiedlung nach Düsseldorf; Meisterschüler an der Akademie. «An die Schönheit» – malt aber das Häßliche
1923	Heirat mit Martha Koch im Februar. «Salon II» in Darmstadt beschlagnahmt; Prozesse gegen Dix (Freispruch). Vollendet das Hauptwerk *Schützengraben*, landesweiter Streit um dieses Gemälde; C. Einstein, W. Wolfradt, Däubler schreiben über Dix. – 14.6.: Geburt der Tochter Nelly
1924	*Schützengraben* auf der Akademie-Ausstellung Berlin; arbeitet mit an den Mappen der IAH «Krieg» und «Hunger»; stellt mit den Kol-

legen der «Roten Gruppe» in Moskau und Leningrad aus, lehnt aber politische Organisation ab. 50 Radierungen *Der Krieg* bei Nierendorf. Übergang zur altmeisterlichen Technik und Stil: *Eltern II*

1925   Siedelt nach Berlin über: Serie großer Porträts. *Schützengraben* in Zürich auf der internationalen Kunstausstellung

1926   Erste größere Einzelausstellung bei Nierendorf, Berlin

1927   Zum Sommersemester an die Kunstakademie Dresden. Kinderbilder; Großstadt-Triptychon. 11.3.: Geburt des Sohnes Ursus

1928   Geburt des Sohnes Jan am 10. Oktober; Reisen: Danzig, Elsaß; Anti-Kriegstag in Dresden (Straßenplastik von E. Hoffmann)

1929   Beginn am zweiten bedeutenden Triptychon *Der Krieg*

1930   Dix beteiligt sich an «Sozialistische Kunst heute» Amsterdam; Selbstbildnis als Christophorus mit Jan. Mitglied der Preußischen Akademie der Künste 1931; Selbstbildnis Köln

1932   vollendet Dix das Kriegs-Triptychon, Ausstellung in Berlin, malt das magische Porträt von Heinrich George (heute Stuttgart)

1933   6.–8.4.: Entlassung von Dix; der neue NS-Rektor Richard Müller führt den Befehl des sächsischen Innenministers Killinger aus; im Mai Ausschluß aus der Preußischen Akademie. 22.9.: Gasch, Waldapfel und Müller organisieren die «Entartete Kunst»-Schau im Rathaus Dresden, erste Ausstellung dieses Titels; Müller nennt sie «Spiegelbilder des Verfalls» («Dresdner Anzeiger», 23.9.); B. Feistel-Rohmeder: «Dresden zeigt ihre entartete Kunst»; von Dix dabei die *Kriegskrüppel* und *Schützengraben*, Werke von Voll, Hoffmann, Segall, Heckel, Schwitters, Klee, Grundig, Grosz u.a. Dix malt *Die sieben Todsünden*; Wegzug im Sommer nach Schloß Randegg (bei Singen); Rückzug in die Landschaftsmalerei

1934   *Flandern*-Gemälde in Anlehnung an Barbusse; *Triumph des Todes* als Symbolbild der Zeit. Malt mit Franz Lenk im Hegau

1937   ca. 260 Werke von Dix beschlagnahmt; seine Werke besonders angeprangert: «Wehrsabotage»! Hitler hatte schon im August 1935 in Dresden Bilder von Dix gesehen. Der *Schützengraben* ab Juli 1937 auf der Wanderausstellung «Entartete Kunst» München, Berlin, Leipzig usf. Der Händler B. Boehmer kauft Januar 1940 diese Leinwand

1939   Juni–August Auktionen Galerie Fischer, Luzern, auch Werke von Dix wie die Nietzsche-Büste von 1912, das *Elternbild I*. September Attentat auf Hitler, Dix wird in Dresden verhaftet

1940–1942 Landschaften am Bodensee im Stile Bruegels und der Altdeutschen. Der Außenminister Joachim von Ribbentrop möchte sich von Dix malen lassen, das Bildnis kommt nicht zustande. – *Selbst vor rotem Vorhang*, Beginn der Stilwandlung zur Prima-Malerei. Tod des Vaters am 27.7.1942

1945   Zerstörung Dresdens durch die Amerikaner; Dix zum Volkssturm eingezogen, im Elsaß in französischer Gefangenschaft

1946   Wieder in Hemmenhofen/Bodensee. Malt Szenen aus der Passion Christi. Besuch von Dresden und Erschütterung über die Zerstörung. Das Kriegs-Triptychon auf der Allgemeinen deutschen Kunstausstellung Dresden

1948   Berufung an die Akademie Düsseldorf wird hintertrieben

1953   Tod der Mutter Dix am 26.8.

1955   Tod von Nelly am 11.1. Dix ist auf der Documenta I in Kassel neben Kirchner, Beckmann, Klee u.a. vertreten; schon auf der II. Documenta 1959 wird Dix nicht mehr gezeigt, Beginn der Vorherrschaft der Abstrakten; Dix publiziert «Gedanken zur Porträtmalerei» mit scharfer Kritik an der Abstrakte: «Kunstgewerbe»

1956–1959	Ehrungen von Dix in der DDR und BRD: Mitglied der Akademie Ost, Ehrensenator der Akademie Dresden; Cornelius-Preis Düsseldorf; Großes Bundesverdienstkreuz – zusammmen mit Ernst Jünger
1960	Löfflers Dix-Buch in Dresden publiziert; Wandbild *Krieg und Frieden* im Rathaus der Stadt Singen; Lithos zum Matthäus-Evangelium
1966	Zum 75. Geburtstag Ehrungen in Ost und West; das Erbe von Dix geteilt wie das Land! 27. 11.: Ehrenbürger von Gera
1968	Rembrandt-Preis der Goethe-Stiftung Salzburg; Dix widmet ein Selbstbildnis als Totenkopf Jean Cassou, Paris
1969	Dix stirbt am 25. 7. in Singen, begraben auf dem Friedhof Hemmenhofen
1971	Große Dix-Retrospektive der Stadt Stuttgart, anschließend in Paris. Wie immer bei umstrittenen Künstlern beginnt ihre Wertschätzung und ihre Rezeption nach dem Tod
1981	Ausstellung zum 90. Geburtstag in Stuttgart (Menschenbilder), aber ohne das Dresdner Kriegs-Triptychon. Keine ganzdeutsche Ausstellung
1982–1983	«De oorlog als dodendans»: Dix und Hrdlicka-Ausstellung Museum Utrecht und Kunstverein Heidelberg (Katalogtext W. Kotte)
1985	Dix-Ausstellung Kunsthalle Berlin
1991	Ausstellungen zum 100. Geburtstag in Stuttgart und Berlin; Ausstellung von Zeichnungen und Graphik in Dresden; Ausstellungen in Friedrichshafen und Albstadt

Zeugnisse

Hugo Zehder
Er ist ein Indianer, ein Sioux-Häuptling. Immer auf dem Kriegspfad. Wie eine Axt schwingt er den Pinsel und jeder Hieb ist ein Farbenschrei...
«Neue Blätter für Kunst und Dichtung», 1919

Carl Einstein
Die Pole heutiger Kunst liegen bis zum Reißen gespannt. Konstrukteure, Gegenstandslose errichten die Diktatur der Form; andere wie Grosz, Dix, Schlichter zertrümmern das Wirkliche durch prägnante Sachlichkeit, decouvrieren diese Zeit und zwingen sie zur Selbstironie. Malerei ein Mittel kühler Hinrichtung; Beobachtung als Instrument harten Angriffs. Solch revoltierte Einstellung hat mit leutseliger Sozialmalerei nichts zu schaffen; hierzu verhält sie sich wie revolutionäre Vorarbeit zu wilhelminischer Rentenversicherung... Dix tritt dieser Zeit, die nur Persiflage einer solchen ist, entschlossen und technisch gut montiert in den geblähten Bauch, erzwingt von ihr Geständnisse übler Schuftigkeit und zeigt aufrichtig ihre Menschen, deren gerissene Gesichter zusammengeklaute Fratze grinsen... Malerei kritischer Feststellung.
«Das Kunstblatt», 1923

Paul Ferdinand Schmidt
Die Freiheit jenseits des Zwanges von Naturnachahmung und wilder Ekstase gibt Otto Dix die unfehlbare Sicherheit des Auges. Hier ist nicht die Rede von einer Rückkehr zu den abgestandenen Idealen unserer Väter. Nicht der öde Materialismus einer Naturnachahmung: der schöpferische Geist eines Menschengestalters waltet hier. Aus dem Haß sind seine Gestalten geboren; aber nicht aus dem unfruchtbaren Haß des Verneinens, sondern aus der zeugenden Liebe des Zukünftigen, Zerbrecher alter Tafeln zu sein.
«Dix». Köln 1923

Willi Wolfradt
Das brave Normalempfinden kommt mit den gräßlichsten Tatsachen friedlich aus und empört sich nur, wenn man sein feiges Phlegma nicht

schont und ihm unmittelbar vors Gesicht hält, was es ignorieren möchte... Otto Dix ist ein künstlerisches Elementarereignis: ein unwiderstehliches Hervorbrechen ursprünglicher, ausgehungerter Wirklichkeitsinstinkte – ein autodidaktisches Sichhinwegsetzen barbarischer, grimmig-lustiger Energien über die normale Idealität der Zivilisation und der Ateliers – ein rapides Erobern der Situation vermöge der Schlagkraft primitiver, ungenierter Genialität... mit schreiender Schaubudendeutlichkeit manifestiert sich der harte Wirklichkeitswille eines stupenden, unausweichlich treffsicheren Schilderns. Der heftigen Vitalität entspricht eine rebellische Lust am schrill Stofflichen. Elementar ist dieser Realismus, elementar die frenetische Kraft des Schaffens, elementar das Einschlagen dieses Outsiders in die Moderne.

«Otto Dix». Leipzig 1924

Henri Barbusse
Der diese Bilder des Grauens sich aus Hirn und Herzen riß und vor uns ausbreitet, stieg in den letzten Schlund des Krieges. Ein wahrhaft großer deutscher Künstler, unser brüderlicher Freund Otto Dix schuf hier in grellen Blitzen die apokalyptische Hölle der Wirklichkeit.

«O. Dix – Der Krieg». Berlin 1924

Peter Thoene (O. Bihalji-Merin)
Losgelöst von Grosz und dennoch aus gleicher Ursächlichkeit wirkten Otto Dix und Max Beckmann. Nach der Allgemeinheit der Abstraktion war der Wunsch nach überkonkreter Präzision erwacht. Nach der Gegenstandslosigkeit verfiel man auf die reportagehafte Berichterstattung. Dies ist der Ausgangspunkt für den deutschen Verismus, wie er um Dix gruppiert war, oder die «transzendentale Sachlichkeit», die das Werk Beckmanns repräsentiert.

«Das Werk» XXV, 1938

Jean Cassou
Der Krieg von 1914 bis 1918, das ist der Schützengraben. Schützengraben heißt eines der großen Bilder. Mit demselben Thema befaßt sich die ganze Folge von Handzeichnungen. Ein Thema, peinigend wie ein Alptraum; jedoch: war nicht die Wirklichkeit damals selbst zum Alptraum geworden?... Denn diese ganze Einrichtung samt ihrem Zubehör verfolgte ja nur ein Ziel: den Mord.

«Dix – Der Krieg». St. Gallen 1961/62

Werner Schmidt
Geblendet von der bestürzenden Treffsicherheit des Künstlers begnügen sich viele Betrachter von Dixschen Werken mit der Feststellung des Themas. Jedoch liegt das Wesentliche gerade darin, wie Dix über die einfache

Widerspiegelung und Reproduktion des Sichtbaren hinausgeht, wie er durch einen seltenen Reichtum an Beziehungen und Andeutungen wie durch seine Formkraft die scheinbar als Wirklichkeit vorgestellten Figuren und Dinge insgeheim oder auch deutlich zu Sinnbildern und Symbolen werden läßt.

Gedenkschrift zur Verleihung des Rembrandt-Preises 1968.
Salzburg 1969

Fritz Löffler

Ich kenne kein Werk eines deutschen Malers, dessen Wirken, um die Zeit des Ersten Weltkriegs begonnen, so lange und so diametral verschiedene Beurteilung erfuhr wie das von Otto Dix. Erst im letzten Jahrzehnt wurde es rückblickend klar, was für eine elementare Persönlichkeit hier durch ein halbes Jahrhundert tätig war. Eigentlich nahm an ihm immer irgend jemand Ärgernis...

«Die Kunst», 1966/67

Alfred Hrdlicka

Otto Dix macht uns, wie kaum ein anderer, das Ausgeliefertsein des Künstlers an seine Umwelt deutlich. Stilistische Einordnung in die Kunst seiner Zeit war ihm kein Bedürfnis, wenngleich er sich zu Beginn seines Schaffens mit den damals aktuellen Kunstrichtungen Kubismus, Futurismus, Dadaismus auseinandersetzte und in den zwanziger Jahren zu synthetischen Formergebnissen gelangt ist, die an die Guernica-Studien, also den Picasso der dreißiger Jahre, denken lassen.

Zeitgeschichte, das tagtägliche politische Leben, die wirtschaftlichen und ideologischen Krisen, nicht Kunstgeschichte reflektiert Dix. Die von vielen Künstlern praktizierte kunsthistorische Standortbeziehung im vorhinein, das Bedürfnis nach stilistischer Absicherung kennt Dix nicht, ihm ist Gestaltung Ergebnis heftiger Auseinandersetzung, nicht Vorsatz, und wenn er der Gesellschaft seiner Zeit ins Gesicht schlägt, so geschieht dies mit der Gewalttätigkeit des Totschlägers, denn selbst seinen bösesten Bildern fehlt die vorsätzliche Bosheit des «Schreibtischmörders», der sich krampfhaft bemüht, schwarze Kunst zu produzieren.

«Neues Forum» (Wien), Mai 1974

Bibliographie

ABERCRON, WILKO VON: Franz Lenk 1898–1968 Retrospektive und Dokumentation. Köln 1976

ALEXANDER, GERTRUD: Ausstellungskunst. In: Die Rote Fahne, 14/15. Juni 1921

BARTH, P.: O. D. und die Düsseldorfer Künstlerszene 1920–1925. Düsseldorf 1983

BARTON, B. S.: Otto Dix and ‹Die neue Sachlichkeit›. Diss. Berkeley 1976, Ann Arbor 1981

BECK, R. (Hg.): Katalog der Dix-Ausstellung Museum Villa Stuck. München 1985

BEHNE, ADOLF: Der Staatsanwalt schützt das Bild. In: Die Weltbühne, 18. Jg., 23. November 1922, S. 547

George Grosz. In: Die Weltbühne 20, 1924, S. 234

BLOCH, ERNST: Der Expressionismus, jetzt erblickt (1937). In: Erbschaft dieser Zeit. Frankfurt a. M. 1962, S. 255 f

CASSOU, JEAN: Otto Dix. In: Otto Dix – Der Krieg. Katalog der Ausstellung Galerie Erker. St. Gallen 1961/62; – wieder in: Cahiers du Musée national d'art moderne (Paris), 1979, Heft 1, S. 58–61

CONZELMANN, OTTO: Otto Dix. Hannover 1959

Otto Dix – Handzeichnungen, Hannover 1969

Otto Dix malt Frisch. In: Die Kunst Bd. 81, 1969, S. 118 f

Mißverständnis und Wahrheit um O. D. In: Dix – Katalog der Ausstellung. Stuttgart 1971

Otto Dix – Weiber. Frankfurt a. M. 1976

Der andere Dix, Stuttgart 1983

DÄUBLER, THEODOR: Otto Dix. In: Das Kunstblatt 4. Jg. Berlin 1920, S. 118

DIEMER, KARL: «So ist das gewesen und nicht anders» – Besprechung der Dix-Ausstellung, Stuttgart 1971. In: Die Kunst Bd. 84, Januar 1972, S. 2–3

Otto Dix oder: das Leben ohne Verdünnung in: Otto Dix-Katalog, Mus. d. Mod. Kunst, Kamakura/Sendai 1988/89, S. 44–57

Dokumente zu Leben und Werk des Malers O. D. Archiv für bildende Kunst im German. Nat.museum Nürnberg 1977

Dresden – Von der Königl. Kunstakademie zur Hochschule für Bildende Künste, Dresden 1990, S. 268 f, S. 321 f (C. Bächler, G. Thiele)

EINSTEIN, CARL: Otto Dix. In: Das Kunstblatt, VII, 1923, S. 97 f

EINSTEIN, CARL (Hg.): Europa-Almanach, Vol. 1, Berlin 1925

Die Kunst des 20. Jahrhunderts. Berlin 1926. 3. Aufl. 1931, S. 185

ERBSMEHL, H.: Malerei aus Widerspruch – O. Dix und Grosz. In: Berliner Szene 25, 21. 3. 1987

ERFURTH, HUGO: Bildnisse (Fotografien), hg. von O. Steinert/J. A. Schmoll gen. Eisenwerth. Gütersloh 1961

FECHTER, PAUL: Die nachexpressionistische Situation. In: Das Kunstblatt, 1923, H. 11/12, S. 321–329

FEDOROV-DAVYDOV, A.: Einige charakteristische Züge der deutschen Ausstellung. In: Presse und Revolution, Nov./Dez. 1924, S. 116–123 (zitiert nach: «Wem gehört die Welt», Berlin 1977, S. 244 f)

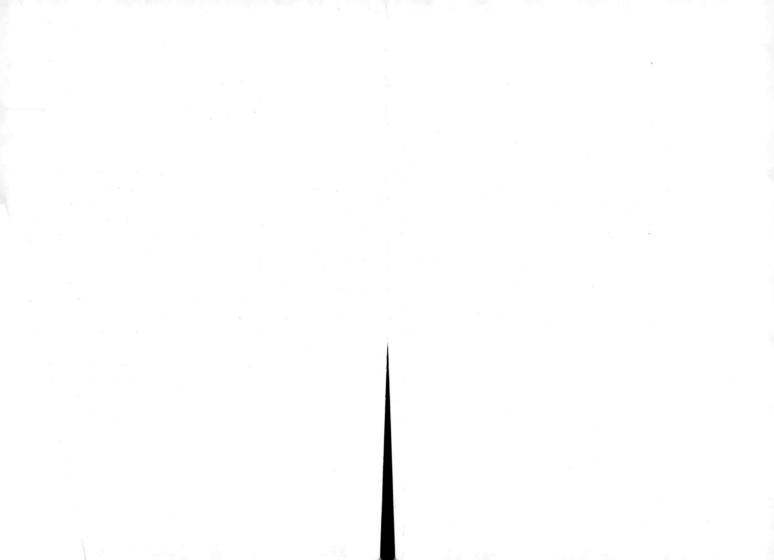

KUNSTHISTORISCHES INSTITUT   6900 HEIDELBERG 1 *4. März 1992*
DER UNIVERSITÄT HEIDELBERG   Seminarstraße 4
                                     Tel.: (0 62 21) 54 24 23/23 48

Lieber Herr Hermand,

   für eine Tagung über das Schicksal der DDR-Denkmäler (meine Idee),
die das Kulturwiss.Inst. Essen am 15.Mai in Leipzig machen wird,
bereite ich einen Vortrag über das ausgezeichnete BRECHT-Denkmal in
Dessau (von Bernd Göbel, Halle) vor, das ich mit dem langweiligen von
Cremer in Berlin vergleichen möchte. Es geht also bei der Tagung nicht
nur um Probleme des Sturzes von Mälern (Lenin), sondern mir geht es
auch um den Appell zum Erhalt von Qualität oder als Dokumente.
   Dabei stieß ich jetzt wieder auf Ihren Aufsatz über Brecht und die
Kunst, und ich werde auch Brechts Bemerkungen über die Porträts in
Plastik berücksichtigen. - Da Sie seinerzeit mein kl. DIX-Buch so
freundlich aufnahmen und mir Ihren Menzel schickten, darf ich Ihn
heute die Neuausgabe des Dix senden. Es ist gänzlich verbessert,
insbes. das Kriegs-Kap. ganz neu, viel auch bei der Nazi-Zeit (
die Schand-Ausst. Dresden 1933 schon "Entartete K.", von Hitler
in Dresden besucht. Auch im Kap nach 1945 habe ich manches hi
(vgl. Anm. 138). Sie können als das alte Buch getrost wegwer
Grüssen Sie bitte Werckmeister, wenn Sie ihn sehen.
In der Hoffnung auf Ihr freundliches Interesse
mit herzlichem Gruß

                       Ihr Dietrich Schubert

Prof.Dr.D.Schubert

FISCHER, LOTHAR: Otto Dix – ein Malerleben in Deutschland, Berlin 1981
FROMMHOLD, E.: Kunst im Widerstand. Dresden 1968
    Alexander Wolfgang. Dresden 1975
GILLEN, E.: Die Sachlichkeit der Revolutionäre. In: Wem gehört die Welt – Kunst und Gesellschaft in der Weimarer Republik. Berlin 1977, S. 205–233
GLASER, CURT: Otto Dix. In: Kunst und Künstler 25, 1927, S. 130 f
GLEISBERG, DIETER: Conrad Felixmüller und die Gründung der Dresdner Sezession Gruppe 1919. In: Dezennium 2 – Verlag der Kunst, Dresden 1972, S. 162–181
    Conrad Felixmüller – Leben und Werk, Dresden 1982
GÖTZ, WOLFGANG: Eine Landschaft von Otto Dix im Saarlandmuseum. In: Saarheimat 7, H. 12, 1963, S. 372 f
GREEVY, LINDA F.: The Life and Works of O. Dix, Ann Arbor 1981
GRIEBEL, OTTO: Erlebnis und Vorbild Otto Dix, in: Bildende Kunst (DDR), Jg. 1966, S. 582
GROHMANN, WILL: Dresdner Sezession «Gruppe 1919». In: Neue Blätter für Kunst und Dichtung, 1. Jg. 1918/19, H. März 1919, S. 259
    Junge Dresdner Graphiker, in: Cicerone, 16, 1924, S. 89–92
HAFTMANN, W.: Malerei im 20. Jahrhundert. München 1965
HAGENLOCHER, A. (Hg.): Otto Dix – zum 100. Geburtstag, Albstadt 1991
HAMANN, R./HERMAND, J.: Expressionismus (Epochen deutscher Kultur Bd. 5). Berlin (Ost) 1976, München 1976
HARTLAUB, G. F.: Zynismus als Kunstrichtung? In: Frankfurter Zeitung, 13. September 1924
    «Neue Sachlichkeit» – Kat. der Ausstellung Kunsthalle Mannheim 1925
HAUSENSTEIN, W.: Die Kunst in diesem Augenblick. München 1920
HELLWAG, FRITZ: Otto Dix – Bilder aus dem Hegau. In: Die Kunst, Bd. 71, 1934/35, S. 272 f
HEPPE, H. VON: Frauen im Milieu, gesehen von Otto Dix. In: Dix – Zwischen den Kriegen, Kat. d. Ausst. Berlin 1977, S. 28 f
HERZFELDE, W.: Immergrün. Berlin 1949
HEUSINGER, J. VON WALDEGG: Das Porträt als Dokument der Epoche. In: Die zwanziger Jahre im Porträt, Kat. d. Ausst. Bonn 1976, S. 9–22
    Wie sie einander sahen – Die Dresdner Sezession Gruppe 1919 in Bildnissen ihrer Mitglieder. In: Dresdner Sezession 1919–1923. München 1977
HOFMANN, WERNER: Zeichen und Gestalt – Die Malerei des 20. Jahrhunderts. Frankfurt a. M. 1957, S. 83
HRDLICKA, ALFRED: Otto Dix – wie ich ihn sehe. In: Neues Forum (Wien), H. 245, 1974, S. 56–57
HÜTT, WOLFGANG: Deutsche Malerei und Grafik im 20. Jahrhundert. Berlin 1969
    Neue Sachlichkeit und darüber hinaus. In: Tendenzen, No. 46, München 1967
    Verismus – Neue Sachlichkeit – die anderen und Wir! In: Bildende Kunst, 9, Berlin 1972, S. 462 f
    Hintergrund, Berlin 1990, S. 53 f und S. 200 ff
JÄHNER, HORST: Was über das Idyll hinausgeht – Von einem Besuch bei Otto Dix. In: Bildende Kunst, 1956, H. 1, S. 14–18
    Vor dem Wie steht das Was – zu den Bildern über den Krieg von O. D. In: Bildende Kunst, 1957, H. 6, S. 370 f
KARSCH, F.: Otto Dix – das graphische Werk 1913–1969. Hannover 1970
KARSCHER, EVA: Dix. München 1986
    Otto Dix – Leben und Werk. Köln 1988
KEUERLEBER, E./REINHARDT, B.: Dix – zum 90. Geburtstag (Menschenbilder), Gal. der Stadt Stuttgart 1981
KINKEL, HANS: Vierzehn Berichte, Begegnungen mit Malern und Bildhauern. Stuttgart 1967, S. 69–78

Otto Dix – Protokolle der Hölle. Frankfurt a. M. 1968

Dix – die Toten und die Nackten. Berlin 1991

KITTSTEINER, H.-D.: Dix, Friedrich und Jünger: Bilder des Weltkrieges. In: Dix – Zwischen den Kriegen, Kat. d. Ausst. Berlin 1977, S. 33f

KLAPHECK, ANNA: Mutter Ey – eine Düsseldorfer Künstlerlegende (1958). 3. Aufl. Düsseldorf 1978, S. 28f

KLIEMANN, H.: Die Novembergruppe. Berlin 1969

KNAUF, ERICH: Die nackte Wahrheit – Otto Dix und Kurt Günther. In: Empörung und Gestaltung. Berlin 1928, S. 185f

Otto Dix. In: Geraer Kulturspiegel 2, Februar/April 1947, S. 22f

KÜHL, MARIA: Otto Dix – Feldpostkarten, Radierungen aus dem Kriegszyklus. Kat. d. Ausst. Gera 1975

LANG, LOTHAR: George Grosz. Berlin 1966

Unbekannte Skizzenbücher von Otto Dix. In: Marginalien – Zeitschrift für Buchkunst, 37, 1970, S. 55–56

LEISS, LUDWIG: Kunst im Konflikt – Kunst und Künstler im Widerstand mit der Obrigkeit. Berlin 1971

LÖFFLER, FRITZ: Otto Dix – Leben und Werk. Dresden 1960; 4. Aufl. 1977

Kunst als Sinngebung unserer Zeit. In: Die Kunst, Bd. 65, 1966/67, S. 113f

Begegnungen und Erinnerungen. In: Dix – Kat. d. Ausst. Stuttgart 1971

Die letzten Selbstbildnisse von Otto Dix. In: Das Münster 25, 1972, S. 373–380

Dresdner Sezession Gruppe 1919. In: Dresdner Sezession 1919–1923. Kat. d. Ausst. München, Galleria del Levante. München 1977

Otto Dix – Graphik aus fünf Jahrzehnten. Leipzig 1978

Das christliche Thema, in: Kat. Dix, hg. von R. Beck, München 1985, S. 227f

Die Dresdner Sezession Gruppe 1919, in: Kunst im Aufbruch – Dresden 1918–1933, Dresden 1980/81, S. 39f

Otto Dix und der Krieg, Leipzig 1986

LÜDECKE, H.: Otto Dix. Dresden 1958

MÄRZ, ROLAND: Realismus und Sachlichkeit – Aspekte deutscher Kunst 1919–1933. Kat. Realismus und Sachlichkeit, Berlin 1974

Das Gemälde «Mondweib» von O. Dix aus dem Jahre 1919. In: Forschungen und Berichte – Museen Berlin (Ost), 25, 1985, S. 71–81

MÄRZ, R. / R. RADEKE: Dix und Berlin. Berlin 1991

MEIER-GRAEFE, J.: Die Ausstellung in der Akademie. In: Deutsche Allgemeine Zeitung, 2.7.1924

NEUERBURG, W.: Der graphische Zyklus im deutschen Expressionismus und seine Typen 1905–1925. Phil. Diss. Bonn 1976

Nie wieder Krieg – hg. von der Sozialistischen Arbeiterjugend Bezirk West-Sachsen, Leipzig 1924, S. 51 (Schützengraben)

PLATSCHEK, HANS: Enthüllungen über die Zustände in Gartenlauben. In: Die Zeit, 24.11.1978

ROH, FRANZ: Nach-Expressionismus, Magischer Realismus. Leipzig 1925

«Entartete Kunst» – Kunstbarbarei im Dritten Reich. Hannover 1962

RÜDIGER, ULRIKE: Dix – Grüße aus dem Krieg. Gera 1991

SALMONY, ALFRED: Dix als Porträtist. In: Der Cicerone, 12, 1925, S. 1045–1049

SABARSKY, S. (Hg.): Dix – Staatl. Kunsthalle Berlin 1987

SAUERLAND, M.: Die deutsche Kunst der letzten 30 Jahre. Berlin 1935

SCHMALENBACH, F.: Kunsthistorische Studien. Basel 1941

Die Malerei der Neuen Sachlichkeit. Berlin 1973

SCHMIDT, DIETHER: Manifeste Manifeste 1905–1933, Künstlerschriften I. Dresden 1964

In letzter Stunde 1933–1945, Künstlerschriften II. Dresden 1964, S. 43, 213

Ich war – Ich bin – Ich werde sein, Selbstbildnisse deutscher Künstler des 20. Jahrhunderts. Berlin 1968

154

Der souveräne Prolet – zu einigen Selbstbildnissen von Otto Dix. In: Dialog 75 – Positionen und Tendenzen. Berlin 1975, S. 203 f

Die Krönung des Vagabundendichters Iwar v. Lücken. Berlin 1988

Otto Dix im Selbstbildnis. Berlin 1978

SCHMIDT, HANS-W.: Dix – «Der Krieg». In: Verfolgt und verführt, hg. von S. Paas, KH Hamburg 1983, S. 108–116

SCHMIDT, JOH. K. (Hg.): Otto Dix – Bestandskatalog Gal. d. Stadt Stuttgart 1989

–/ W. HERZOGENRATH: Dix – zum 100. Geburtstag, Stuttgart/Berlin 1991

SCHMIDT, PAUL F. (Hg.): Otto Dix – Radierwerk I und II, Dresden 1920–1921

Otto Dix. Köln 1923

Die deutschen Veristen. In: Das Kunstblatt 8. Jg., , 1924, S. 367–372

Otto Dix. In: Die Horen 4. Jg. 1927/28, S. 865 f

Dix und Lenk. In: Kunst der Nation. Berlin 1935, Febr.-Heft

SCHMIDT, WERNER: Katalog der Ausstellung «Dialoge» Albertinum. Dresden 1970

Rede auf Otto Dix (anläßlich der Verleihung des Rembrandt-Preises 1968). In: Gedenkschrift zur Verleihung des Rembrandt-Preises 1968 der Goethe-Stiftung. Salzburg 1969, S. 9–21

SCHMIED, WIELAND: Neue Sachlichkeit und magischer Realismus in Deutschland. Hannover 1969

SCHMOLL GEN. EISENWERTH, J. A.: Naturalismus, Realismus und Fotorealismus – Versuch einer Begriffserklärung. In: Mit Kamera, Pinsel und Spritzpistole – Kat. d. Ausst. Recklinghausen 1973, S. 5 f

Realistische Malerei und Fotorealismus. In: Kunstchronik, Februar 1974, S. 44 f

Naturalismus und Realismus. In: Städel-Jahrbuch Bd. 5, 1975, S. 247–266

SCHNEEDE, UWE M.: George Grosz – Leben und Werk. Stuttgart 1975

Die Sache ganz nah sehen, beinahe ohne Kunst – Anmerkungen zu Otto Dix. In: Dix – Kat. d. Ausst. Hamburger Kunstverein 1977

Die zwanziger Jahre – Manifeste und Dokumente. Köln 1979

Besprechung Conzelmann 1983. In: F. A. Z. 26. 11. 1983

SCHUBERT, D.: Die Elternbildnisse von Otto Dix aus den Jahren 1921 und 1924 – Beispiel einer Realismuswandlung. In: Städel-Jahrbuch 4, 1973, S. 271–298

Otto Dix und der Krieg. In: Pazifismus zwischen den Weltkriegen, hg. von D. Harth/D. Schubert/R. Schmidt, Heidelberg 1985, S. 185 f

Expressionistische Bildnisse im Rahmen des Aktivismus. In: Die zwanziger Jahre im Porträt, Bonn 1976, S. 23–46

Rezeptions- und Stilpluralismus in den frühen Selbstbildnissen von Otto Dix. In: Beiträge zum Problem des Stilpluralismus, hg. von W. Hager und N. Knopp. München 1977, S. 203–224

Politische Metaphorik bei O. Dix 1933–1939. In: Kunst und Kunstkritik der 30er Jahre, hg. von M. Rüger, Dresden 1990, S. 148-155

SCHWARZ, BIRGIT: Werke von O. Dix. Staatliche Kunsthalle Karlsruhe 1986

SEIWERT, F. W. [u. a.]: Zu dem Artikel von Meier-Graefe: Die Ausstellung in der Akademie. In: Das Kunstblatt, 8. Jg, 1924, S. 317 f

STOLTE, W.: Zur Dix-Rezeption, in: Kat. Kaiserslautern, 1987, S. 29–41

THOENE, PETER: Bemerkungen über die deutsche Malerei der Gegenwart. In: Das Werk, Bd. 25, 1938, S. 345–49

TITTEL, L.: O. Dix im Städt. Bodensee-Museum Friedrichshafen, 1984

Dix – Der Krieg, Faksimile-Ausgabe, Friedrichshafen 1985

Dix – Zeichnungen / Aquarelle. Kat. Innsbruck 1988

UHLITZSCH, J.: Zwei bedeutende Werke von Otto Dix. In: Dresdner Kunstblätter, H. 1, 1974, S. 2 f

VERSHBOW, CH. Z.: Otto Dix and ‹Der Krieg›. In: Bellum – two statements on the nature of War – by Erasmus (1545), ed. W. R. Taylor, Barre/Mass. 1972, S. 39–42

WENTZEL, HANS: Besprechung der Dix-Ausstellung Stuttgart 1971. In: Kunstchronik, Jan. 1972, S. 1–10

WESTHEIM, PAUL: Besprechung von: Otto Dix – Der Krieg, 5 Mappen, Berlin 1924. In: Das Kunstblatt, 8. Jg. 1924, S. 286
    Steckbrief als Malmethode, in: Helden und Abenteuer, Berlin 1931, S. 228f
WETZEL, MARIA: Otto Dix – Ein harter Mann, dieser Maler. In: Diplomatischer Kurier, 14. Jg. (Köln) H. 18, 1965, S. 731–745
WEYERGRAF, B.: Otto Dix – Krieg und Nachkriegszeit. In: Dix – Zwischen den Kriegen, Kat. d. Ausst. Berlin 1977, S. 14f
WIRTH, G.: Otto Dix' Pastelle zur Passion und Handzeichnungen. In: Die Kunst, Bd. 85, 1973
WOLFRADT, WILLI: George Grosz (Reihe Junge Kunst). Leipzig 1921
    Ein Doppelbildnis von Otto Dix. In: Der Cicerone, Bd. XV, 1923, S. 173–178
    Otto Dix (Reihe Junge Kunst). Leipzig 1924
    Danziger Bildnisse von Otto Dix. In: Der Cicerone, 21, 1929, S. 136–139
ZEHDER, HUGO: Otto Dix. In: Neue Blätter für Kunst und Dichtung, 2/3, 1919/1921, S. 119f

Namenregister

Die kursiv gesetzten Zahlen bezeichnen die Abbildungen

Adenauer, Konrad 69, 116, 129, 134
Adler, Jankel 61, 77, 87
Ahner, Alfred 93
Albiker, Carl 35, 92, 122
Alexander, Gertrud 43
Altdorfer, Albrecht 111, 113
Amann, Fritz 10
Andrea, John de 96
Archipenko, Alexander 15, 121
Arco-Valley, Anton Graf 30

Bab, Julius 21
Baldung Grien, Hans 14, 54f, 63, 83, 109, 127
Barbusse, Henri 26, 29, 71, 73, 76, 90, 103, 115
Barlach, Ernst 13, 89, 115, 121
Baudissin, Graf Klaus v. 106
Baumeister, Willi 130
Beck, R. 21, 23, 100
Beckmann, Max 7f, 13f, 17, 21, 26f, 44f, 52, 61, 78f, 82, 87, 92, 96, 105, 115f, 121, 122, 128f
Behne, Adolf 77
Belling, Rudolf 38
Benn, Gottfried 13, 15
Berber, Anita 87, 93, 107
Berg, Londa von 52
Beuys, Joseph 136
Bienert, Fritz 43, 103, 115, 121
Bienert, Ida 115
Bismarck, Otto, Fürst von 19f
Blass, Ernst 13
Boccioni, Umberto 15, 25
Böckstiegel, P. A. 35
Bode, Arnold 128
Boehmer, B. 69f, 116
Borgia, Cesare 20
Brecht, Bertolt 130
Brenner, Hildegard 121
Brockhausen, Theo von 27
Bruegel, Pieter 81, 109, 113, 118, 120f

Bursche, Ernst 92, 120, 122
Buttlar, H. von 128

Callot, Jacques 25, 91
Cassirer, Paul 14f
Cassou, Jean 130, 134, 136, *129*
Cézanne, Paul 128
Chagall, Marc 115
Cleve, Joos van (Joos van der Beke) 14
Close, Chuk 82
Cohn-Wiener, Ernst 52
Colville 82
Conzelmann, Otto 23, 24, 27, 28, 54, 100, 136
Corinth, Lovis 121
Courbet, Gustave 46, 55, 78, 136
Cranach, Lucas 8, 14, 17, 47, 55, 81f, 91, 111, 113, 119, 132

Däubler, Theodor 34f, 89, 92, 121, 128, *91*
Davringhausen, Heinrich 78, 89
Dehmel, Richard 21
Dietrich, A. L. 35
Dix, Franz 9, 27, 33, 59, 63f, 85, 128, *12, 29, 64, 65*
Dix, Fritz 9, *29*
Dix, Hedwig 9, 93, *29*
Dix, Jan 94, 133, *96*
Dix, Louise 9f, 27, 33, 63f, 85, 112, 128, *12, 29, 64, 65, 111, 126*
Dix, Martha 13, 51, 59, 60, 63, 71, 85, 87, 89, 94, 110, 121, 134, *57, 63*
Dix, Nelly 59, 85, 94, *95, 96*
Dix, Toni 9, 63, 112, *29*
Dix, Ursus 89, 94, *96, 97*
Döblin, Alfred 15, 21, 31, 80f, 94
Dohm, Hedwig 21
Drews-George, Berta 105
Dungert, Max 39
Dürer, Albrecht 8, 14, 23, 82f, 91, 104, 113, 128, 132

Ebert, Friedrich 30, 32, 38
Eckermann, Johann Peter 56
Edschmid, Kasimir (Eduard Schmid) 47, 71
Ehmsen, Heinrich 125
Einstein, Carl 17, 41, 70, 116, 134
Eisner, Kurt 30
Engels, Friedrich 21, 85
Erfurth, Gottfried 35, 85
Erfurth, Hugo 13, 35, 51f, 60, 61, 63, 71, 84f, 87, 89, 92, 106, 121, 134, *86*
Ernst, Max 61, 115
Erzberger, Matthias 31
Eulenberg, Herbert 61, 87, 116
Ey, Johanna 60f, 66, 87
Eyck, Jan van 14

Fechter, Paul 66
Fedorov-Davydov, A. 77
Feistel-Rohmeder, Bettina 107
Feldbauer, Max 8, 33, 92
Felixmüller, Conrad 18, 33, 35, 38, 47, 52, 59, 60, 115
Flaubert, Gustave 20
Flechtheim, Alfred 87, 89
Fohn, Emanuel 121
Forster, Gela 35
Förster-Nietzsche, Elisabeth 57
Frank, Leonhard 21, 45, 102
Franke 63
Freundlich, Otto 63, 77, 115
Friedrich, Ernst 71, 75, 77

Gasch, Walther 69, 107
Gauguin, Paul 121
Gehlen, Arnold 72
George, Heinrich (Georg Heinrich Schulz) 105f, *105*
Glaser, Fritz 37, 61, 63, 71, 87
Goebbels, Joseph 115, 120
Goethe, Johann Wolfgang von 56
Gogh, Vincent van 8, 12, 17f, 33, 43, 121, 128
Goll, Iwan 35, 47
Göring, Hermann 69, 107, 120
Goya y Lucientes, Francisco José de 25, 43, 45, 55, 73, 76, 90f, 136
Graf, Urs 25, 91
Griebel, Otto 23, 35, 45, 77, 81
Groener, Wilhelm 95
Grohmann, Will 35, 37, 122, 125, 128f
Grossberg, Carl 78
Grosz, Eva 41
Grosz, George (Georg Ehrenfried Groß) 7f, 11f, 31f, 33f, 38f, 43, 45, 69f, 76f, 80f, 89, 94, 106f, 110, 115, 120f, 128
Grundig, Hans 122
Grünewald, Matthias 43, 55, 80, 83, 91, 109, 127f, 132
Grzimek 122
Guhr, Richard 8, 12f, 69
Gumbel, Emil J. 31
Gumperz, Julian 43
Günther, Alfred 35
Günther, Kurt 35, 47, 61, 93, 123
Gußmann, Otto 8, 33, 92

Haftmann, Werner 72, 128f, 131
Hanson, Duane 68, 82, 96
Harden, Maximilian (Maximilian Felix Ernst Witkowski) 31
Harden, Sylvia von 87
Hartlaub, Geno F. 78, 80
Hasenclever, Walter 33, 35, 61, 116
Hatvani, P. 47
Hauptmann, Gerhart 89
Hausenstein, Wilhelm 47, 82
Hausmann, Raoul 38, 41
Heartfield, John (Helmut Herzfeld) 41, 43, 70, 77, 81
Heckel, Erich 69, 130
Heckrott, Wilhelm 35
Hegenbarth, Josef 92, 128
Heine, Heinrich 19, 38, 114
Hentzen, A. 128
Herberholz, Wilhelm 60, 70
Herrmann-Neiße, Max (Max Herrmann) 89
Herzfelde, Wieland (Wieland Herzfeld) 70, 78
Herzog, Wilhelm 28
Hettner, Otto 92
Hiller, Kurt 13
Hindenburg, Paul von Beneckendorff und von 95, 106
Hitler, Adolf 69, 82, 96, 106f, 109, 115f, 121
Höch, Hanna 38
Hodler, Ferdinand 14
Hoetger, Bernhard 115, 129
Hofer, Carl 52f, 77, 92, 122
Hoffmann, Eugen 35, 96, 107, 115
Hoffmann, Wolf 129
Hofmann, Franz 120
Hofmann, Werner 45
Hofmannsthal, Hugo von 13
Holst, Niels von 105
Hrdlicka, Alfred 82, 128, 134, 136
Huber, Wolf 111
Hugenberg, Alfred 96
Hundt, Rudolf 123
Hütt, Wolfgang 134

Imblon, Eva 112, *111*
Imblon, Toni s. u. Toni Dix
Ingres, Jean-Auguste-Dominique 46, 80

Jaeckel, Willy 17
Jaffé, H. L. C. 129
Jakob, Helene 23, 27
Jaurès, Jean 21
Jean Paul (Johann Paul Friedrich Richter) 81f, 130
Jesus 17, 102, 125f
Jogiches, Leo 21, 30
Johansson, Eric 77
Jünger, Ernst 21, 76, 131

Kallái, Ernst 68
Kandinsky, Wassily 13, 115, 130
Kanoldt, Alexander 78, 81
Kapp, Wolfgang 30, 35, 42

Kassák, Ludwig 128, 130
Kaufmann, Arthur 61, 71
Kempe, Horst 107
Kesser, Hermann 87
Kessler, Harry Graf 13, 88
Kienholz, Edward 68
Kiesinger, Kurt Georg 132
Killinger, M. von 106
Kinkel, Hans 7, 54, 110
Kirchner, Ernst Ludwig 115f, 122, 128
Kitaj, R. B. 128
Kittsteiner, Heinz D. 76
Klee, Paul 7, 13, 115f, 121, 122, 128
Klemperer, Otto 63
Klinger, Max 13, 54
Koch, Hans 51, 59, 61, 63, 110, 56
Koch, Martha s. u. Martha Dix
Koeppel, Mattias 136
Kokoschka, Oskar 33, 35, 41f, 115f, 122,
    129f
Kolberg, Eva 9
Kollwitz, Käthe 77, 94, 122, 136
König, Käthe 92
Krain, W. 77
Krall, Karl 61, 63, 116
Kreis, Wilhelm 92
Kretzschmar, Bernhard 35, 47, 71
Kruse, Max 13
Kupka, Franz 13

Lachnit, W. 77
Landauer, Gustav 28, 31
Lange, Otto 35
Lehmbruck, Wilhelm 13, 27, 34, 89, 115, 121,
    122, 128
Lenk, Franz 111, 121
Lessing, Gotthold Ephraim 78
Lessing, Theodor 28, 134
Leviné, Eugen 31
Liebermann, Max 66f, 84
Liebknecht, Karl 21, 28, 29f
Löffler, Fritz 8, 10, 13, 21, 33, 43, 51, 54, 88,
    92, 106, 110, 115, 120, 125, 132, 136
Lohse, Kurt 21
Loos, Adolf 15
Lorrain, Claude 56
Lotz, Ernst W. 27
Lücken, Ivor von 87
Ludendorff, Erich 32, 95
Lukács, Georg 136
Lunatscharski, Anatoli W. 90
Luther, Hans 88
Lüttichau, Mario v. 8
Lüttwitz, Walther Freiherr von 30, 35, 41, 43
Luxemburg, Rosa (Rosalia Luxenburg) 21,
    28, 30f

Macke, August 23, 27
Maercker, Georg 32
Maillol, Aristide 13
Mann, Heinrich 13, 19, 21, 116
Mann, Thomas 13, 21
Mantegna, Andrea 71, 84
Marc, Franz 13, 15, 23, 27, 115

Marcks, Gerhard 115, 122, 130f
Marinetti, Filippo Tommaso 15, 25
Märten, Lu 77
Martin, Kurt 128
Marx, Wilhelm 95
März, Roland 37
Masereel, Frans 71
Mataré, Ewald 121
Matisse, Henri 18
Mebert, Richard 12
Mehring, Franz 28
Meidner, Ludwig 33
Meier-Graefe, Julius 66f
Mense, Carlo 81
Menzel, Adolph von 136
Miró, Joan 129
Mitschke-Collande, Constantin von 35
Molzahn, Johannes 115
Mondrian, Piet (Pieter Cornelis Mondriaan)
    129
Montinari, Mazzino 56
Moore, Henry 128
Mühlberg, Hermann 41
Mühsam, Erich 77
Müller, Hermann 96, 106
Müller, Richard 11, 33, 46, 50, 69, 92, 106f
Munch, Edvard 13, 17, 128
Münzenberg, Willi 77

Nagel, Otto 77f, 81
Napoleon I., Kaiser der Franzosen 73
Nauen, Heinrich 8, 60
Naumann, Paul 12
Neidhardt, Paul 123
Neuenhausen, Siegfried 68, 96
Neumann, I. B. 87, 110
Nierendorf, Karl 61, 63, 71, 87f, 90, 125
Nietzsche, Friedrich 7, 13, 15, 17, 19f, 21,
    24f, 29, 37f, 54f, 78f, 108f, 136, 14
Nizan, Paul 71
Nolde, Emil 92, 115, 121, 128
Noske, Gustav 32, 43

Olde, Hans 13
Ortega y Gasset, José 47
Osborn, Max 52

Pankok, Otto 61
Paschold, Hermann 123
Pechstein, Max 38, 92, 121, 122, 128
Pfemfert, Franz 13, 17, 21, 28
Picasso, Pablo (Pablo Ruiz y Picasso) 121,
    128
Pinturicchio (Bernardino di Betto) 84, 91
Piscator, Erwin 77
Platschek, Hans 130
Pohl, Horst 132, 134
Pollock, Jackson 128
Purrmann, Hans 130

Querner, Curt 92
Quidde, Ludwig 28

Rade, Carl 12
Radek, Karl (Karl Sobelsohn) 30

Räderscheidt, A. 78
Radziwill, Franz 78, 115f
Raffael (Raffaelo Santi) 55
Rathenau, Walther 31
Reiners, H. 66
Remarque, Erich Maria (Erich Paul Remark) 21, 26, 72, 75, 100, 115
Rembrandt Harmensz. van Rijn 14, 55, 66, 91, 132
Renn, Ludwig 26, 72
Reuß, Heinrich Fürst von 10f
Rheiner, Walter 35, 61
Ribbentrop, Joachim von 121
Ribera, Diego 125
Richter, Hans Theo 92
Richter-Berlin 38
Ridder, André de 90
Roesberg, Max 71, 129
Roh, Franz 79, 94
Rousseau, Henri 82
Rubens, Peter Paul 42, 56
Rubiner, Ludwig 21
Rüdiger, Ulrike 23
Rudolph, Hans 123
Rudolph, Wilhelm 35
Runge, Philipp Otto 64, 81, 94

Sandkuhl, Hermann 52
Schad, Christian 78, 81
Schäfer, Rudolf 123
Scheibe, Richard 122
Scheidemann, Philipp 29
Scheler, Max 87, 121
Schickele, René 15, 21, 28, 47
Schiller, Friedrich 78
Schilling, Heinar 34, 61
Schilling, Johannes 34, 61
Schlemmer, Oskar 13, 115
Schlichter, Rudolf 38, 41, 47, 77f, 81, 115
Schlüter, Andreas 55
Schmidt, Diether 8, 100, 124
Schmidt, Paul Ferdinand 13, 18, 41, 61, 63, 67, 78f, 90, 94
Schmidt, Werner 118f, 132
Schmidt-Rottluff, Karl (Karl Schmidt) 92
Schmied, Wieland 78
Schmitz, J. Paul 61
Schneede, Uwe M. 42
Scholz, Georg 38
Schopenhauer, Arthur 13
Schrimpf, Georg 78, 81
Schröder, Thomas 107
Schubert, Otto 35
Schumacher, Fritz 13
Schunke, Ernst 10
Schwesig, Karl 61
Schwitters, Kurt 69, 77, 129
Secker, Hans F. 66f
Segall, Lasar 35
Seidel, Karl 61
Seiwert, Franz W. 43

Semper, Gottfried 14
Senff, Carl 11
Slevogt, Max 52f, 87f
Stadler, Ernst 15, 23, 27
Steinlen, Théophile Alexandre 102
Stelzmann, Volker 136
Sterl, Robert 11, 33, 92
Stiemer, Felix 33
Stöving, Curt 13
Stresemann, Gustav 96
Sydow, Eckart von 35, 37

Tappert, G. 38
Thälmann, Ernst 106
Thiemann 122
Thoene, Peter 117
Thoma, Hans 64
Tittel, Lutz 102
Tizian (Tiziano Vecelli) 43
Toller, Ernst 28, 31, 77, 116
Treitschke, Heinrich von 19
Trier, Eduard 128
Trillhaase, Adalbert 61, 89
Tucholsky, Kurt 32

Uzarski, Adolf 61

Vasarély, Victor de (Viktor Vásárhélyi) 130
Velde, Henry Clemens van de 13
Viegener, Eberhard 81, 89
Völker, Karl 77
Voll, Christoph 24, 35, 46f, 69, 71, 82, 94, 102, 107, 115f, 129, 134
Volwahsen 122

Waldapfel, Willy 107
Walden, Herwarth (Georg Levin) 15
Walzel, Oskar 35
Weisgerber, Albert 17, 23, 27
Welti, Albert 64
Werner, S. 35
Westheim, Paul 34, 63, 66f, 78, 125
Wetzel, Maria 7f, 70, 80, 85, 126
Weyden, Rogier van der 109
Wiene, Robert 45
Wilhelm II., Deutscher Kaiser 19f, 29, 31, 71
Winckelmann, Johann Joachim 56
Winter 122
Witte, Karl 77
Wolfgang, Alexander 9, 93, 123, 93
Wolfradt, Willi 52, 60, 63, 65, 67, 88
Wolgemut, Michel 110
Wollheim, Gert 61
Wols (Wolfgang Schulze) 128

Zadkine, Ossip 129
Zarathustra 25
Zehder, Hugo 34f, 37
Ziegler, Adolf 110, 115
Zille, Heinrich 77
Zola, Émile 19, 46, 55
Zörner, Oberbürgermeister 69
Zweig, Arnold 26, 72

Über den Autor

Dietrich Schubert, Dr. phil., geboren 1941 in Gera (Thüringen), Studium der Kunstgeschichte, Germanistik und Soziologie in Leipzig 1960/61 und ab 1964 in Freiburg, Wien und München. Promotion 1970 in München mit der Arbeit «Die Gemälde des Braunschweiger Monogrammisten» (Köln 1970); 1971 bis 1977 wiss. Assistent an der Universität Regensburg, anschließend Stipendiat der Deutschen Forschungsgemeinschaft; 1980 Habilitation an der TU München; seit 1981 Professor Universität Heidelberg.

Publikationen: Von Halberstadt nach Meißen – Bildwerke des 13. Jahrhunderts in Thüringen, Sachsen und Anhalt, Köln 1974; Das Denkmal der Märzgefallenen 1920 von Walter Gropius in Weimar (In: Jahrbuch der Hamburger Kunstsammlungen, 21, 1976), ferner Aufsätze zur niederländischen Malerei des 16. Jahrhunderts, über die Plastik Lehmbrucks (Festschrift W. Braunfels, Tübingen 1977), über Otto Dix, das neuere Denkmal, über die Wirkung Nietzsches und den Expressionismus: Die Kunst Lehmbrucks, Worms 1981, 2. Aufl. verb. Dresden/Worms 1990.

Quellennachweis der Abbildungen